Cómo entender el
ESTRÉS
con sentido común

Cómo entender el
ESTRÉS
con sentido común

Brenda O'Hanlon

Grupo Editorial Tomo, S. A. de C. V.
Nicolás San Juan 1043
03100 México, D. F.

1a. edición, noviembre 2000

© Brenda O'Hanlon, 1998
This translation of
Stress: The Common Sense Approach
First published in 2000 is published in spanish
by arrangement with Gill & Macmillan Ltd, Dublin

Traducción: Ana Laura Ortega

© 2000, Grupo Editorial Tomo, S. A. de C. V.
Nicolás San Juan 1043, Col. del Valle
03100 México, D. F.
Tels. 5575-6615, 5575-8701 y 5575-0186
Fax. 5575-6695
http://www.grupotomo.com.mex
ISBN: 970-666-331-2
Miembro de la Cámara Nacional
de la Industria Editorial No. 2961

Realización del Proyecto Editorial: Luis Rutiaga
        Portada, diseño y formación tipográfica.
Supervisor de Producción: Leonardo Figueroa

Impreso en México - *Printed in Mexico*

Contenido

Aunque el autor se ha esforzado para garantizar que la información contenida en la presente obra sea precisa, no debe tomarse como alternativa de la consulta médica profesional. El lector deberá consultar a su médico en caso de tener dudas respecto a algún aspecto de su salud antes de someterse a cualquier clase de tratamiento. El autor y el editor no se hacen responsables por los problemas de salud que resulten del uso o abandono de los medicamentos o métodos de autoayuda aquí descritos.

Prólogo

Se ha dicho propiamente que estar vivo es estar bajo estrés. Nadie está a salvo ni libre del estrés. Como Brenda O'Hanlon lo define, el estrés es parte integral de la vida. Cómo nosotros le hagamos frente al estrés — ya sea en nuestra vida personal, doméstica o, en una forma más amplia en el ámbito público — determinará a un grado muy significativo, la calidad de nuestra salud física y psicológica. Por consiguiente, no se trata de cómo librar a nuestra vida del estrés, sino de encontrar la manera de enfrentarlo, de sacarle provecho y de controlarlo.

Los seres humanos parecen necesitar algún nivel de presión, es notable por lo que pasan aquellos que son privados de él. Las investigaciones contemporáneas indican claramente que a las personas que les falta estimulación, desafíos, y que no están expuestos a los retos que aumentan su adrenalina y su pulso, pronto buscarán estos estímulos en una forma externa. Nosotros estamos familiarizados con la idea de que la excesiva demanda de nuestros recursos, tales como las sobrecargas de trabajo, los problemas emocionales, y las exigencias sociales causan el estrés. Un hecho menos conocido, pero igualmente válido, es que, las personas que son pobremente estimuladas, cuyos recursos no son probados, a los que no se le exige, también sufren los síntomas psicológicos del estrés y manifiestan los comportamientos psicológicos que comúnmente lo acompañan.

Para que uno pudiera estar libre de estrés, tendría que lograr un balance, en donde nuestros recursos y la demanda de ellos estuvieran en un equilibrio perfecto pero, siempre que nos acercamos a un estado de equilibrio, hacemos algo que lo rompe y nos pone en riesgo.

Realmente un individuo regula el estrés en su vida, mediante una multitud de factores que incluyen los genéticos, la personalidad, las experiencias tempranas de la niñez, la influencia los de padres, la familia, la escuela, los compañeros, las expectativas sociales, los éxitos académicos y profesionales. La nuestra es una sociedad en la que hay muchos quejándose del estrés y viviendo vidas estresantes.

Una pareja joven sin problemas obtiene un crédito hipotecario que sus ingresos conjuntos apenas pueden cubrir, pronto adquieren una casa más grande y más cara o empiezan una familia, o ambos. Los escaladores de montaña que escalan el Mont Blanc con un guía, posteriormente deciden hacerlo solos.

El gerente comercial que controla bien el departamento bajo su mando, opta por tomar el desafío de la división entera. El ser humano parece no poder llevar una vida libre de estrés, y ninguna persona o grupo es particularmente feliz descrito como completamente sin estrés.

Como psiquiatra me piden a menudo dar pláticas acerca del estrés y la forma de controlarlo, a grupos de profesionales, comerciantes o personas con ocupaciones estresantes, maestras, estudiantes, banqueros, gerentes, doctores, abogados, editores, dentistas, granjeros, políticos, sacerdotes, monjas, publicistas e ingenieros.

Ningún grupo desearía ser descrito como neurótico o con desórdenes psiquiátricos, pero cada uno fuertemente insiste en estar bajo inmensa presión y, de hecho, cree que éste es un nuevo fenómeno. Hay charlas muy nostálgicas acerca de tiempos pasados, menos estresantes y más serenos.

Existe un estatus en el estrés, particularmente en el área de trabajo; si usted no está estresado, esto puede interpretarse como si usted no se está desempeñando bien o no se está esforzando. Sin embargo, lo que nosotros hemos aprendido del estrés profesional es que no siempre se relaciona con el poder. En las ocupaciones en las que hay carencias de poder, sobre todo en secretarias y telefonistas se pueden encontrar niveles de estrés muy altos.

El control es una palabra importante cuando nos referimos al estrés. Sentirse fuera de control es una de las señales más tempranas de que alguien esta bajo el estrés. Estar en control protege contra semejante trastorno.

Mucho del manejo del estrés es restaurar el sentido del individuo de estar en control de sus respuestas fisiológicas y psicológicas de su vida personal y de sus deberes y responsabilidades sociales y públicas.

Es crucial para este sentido de control la posesión del conocimiento, la información, los hechos. La queja más común de alguien bajo estrés es que no entienden lo que está pasando con ellos — las sensaciones físicas y psicológicas extrañas, los miedos ilógicos y aprehensiones, el deterioro en las funciones personales y sociales, el sentido de desintegración inminente e incluso de ruina.

Los individuos que están familiarizados con las sensaciones físicas que acompañan el exceso (o de hecho, insuficiencia) del ejercicio físico, se desconciertan por aquellas sensaciones que acompañan el exceso o a la insuficiencia de las demandas psicológicas.

Así, muchas personas todavía se sorprenden, ya que el estrés puede manifestarse con un sueño pobre, una concentración dañada, una memoria deteriorada, palpitaciones, el estómago revuelto, vértigo, entumecimiento de manos y pies, garganta cerrada, dificultad para respirar, etc. y se asume que eso debe tener alguna causa física, — cáncer, o enfermedad del corazón, o asma, que explique cómo se sienten.

El hecho que muchas condiciones médicas sean provocadas o agravadas por las complicaciones del estrés hace que el problema vaya más lejos todavía.

En este libro, Brenda O'Hanlon, da a conocer cuanto estrés puede ser manejado por el individuo sin recurrir a consultar a los expertos profesionales, los terapeutas convencionales, las practicas alternativas y grupos de apoyo.

De la misma forma, se proporciona un consejo acerca de cómo uno puede hacer la selección apropiada entre la gran cantidad de terapias que se ofrecen. Las terapias que están en el mercado pueden descontrolarlo. La intención del autor es proporcionar una exhaustiva

y útil guía de lo que está disponible para el lector que
desea tener un mayor control del estrés.

Profesor Anthony Clare

Director Médico del Hospital de San Patricio,
Dublín

Profesor de Medicina Psicológica del Hospital de
San Bartolomé, Londres

¿Sabías Que…?

- ◆ Se estima que cuarenta millones de días de trabajo se pierden cada año en el Reino Unido como resultado del estrés.

- ◆ Investigaciones llevadas a cabo en Estados Unidos indican que nueve de cada diez personas reportan haber experimentado a menudo niveles altos de estrés, y seis de cada diez sostienen estar bajo una gran presión por lo menos una vez a la semana.

- ◆ Seis de cada diez visitas al cirujano están relacionadas con problemas de estrés.

- ◆ Muchos estudios han mostrado cuántas vidas se pierden debido al estrés por eventos como la muerte de un marido, pariente o amigo, asimismo los estudios determinan sus implicaciones en el desarrollo de cáncer del pecho, particularmente en mujeres que tienen dificultad para expresar sus sentimientos.

- ◆ Se cree que un estilo de vida estresante es una de las razones principales por el que las doctoras mueren, en promedio, diez años antes que los doctores.

- ◆ Las estadísticas de suicidios para las profesiones como dentistas, veterinarios y doctores muestran una tasa dos a tres veces superior a la de la población en general.

◆ La ansiedad, depresión, neurosis, afición al alcohol y otras drogas se asocian claramente con el estrés.

◆ El tipo de estrés que crea sentimientos de preocupación, tristeza, y frustración se vincula a los niveles altos de glucosa en la sangre.

◆ La presión y la hipertensión (la presión de sangre alta) no son la misma cosa. Puede tener la presión alta sin estar tenso. La tensión continua puede, sin embargo, hacer que aumente la presión de la sangre.

◆ Si se ignora el estrés, se puede desarrollar un serio problema físico o de salud, o un problema emocional que puede afectar adversamente la calidad de vida.

◆ Los músculos contraídos de una parte del cuerpo pueden afectar otras partes del mismo. Si no se trata, una mandíbula frecuentemente trabada puede convertirse en un dolor de cuello o en un problema en la espalda.

◆ La exposición por largos períodos al estrés en una persona sensible la estimula y puede, eventualmente, alterar los patrones físicos del cerebro. Una vez sensibilizadas, las personas no responden al estrés de la misma manera desde ese momento. Los eventos más triviales producen reacciones extremas.

◆ La investigación sugiere que el estrés prolongado afecta el sistema inmune, facilitando el desarrollo de cáncer.

◆ El estrés aumenta el colesterol y la presión de la sangre, y hace a las arterias más susceptibles a espasmos que pueden activar enfermedades cardíacas y ocasionar infartos.

- Puede producir enfermedades cardiovasculares, incluyendo las enfermedades cardíacas y los infartos. Es la causa más común de muertes prematuras en los países desarrollados.

- El relajante Diazepam es el cuarto medicamento más comúnmente prescrito.

Capítulo 1
Todo Acerca del Estrés

El estrés es una parte integral de la vida. Evitar el estrés no siempre es posible o deseable, ya que el estrés puede ser muy beneficioso. Cuando se convierte en un problema es cuando nosotros perdemos el control: siempre que los problemas aumenten pero no la habilidad para resolverlos.

El estrés es totalmente diferente y único en cada individuo. El estrés en un individuo es literalmente la adrenalina en otro. Algunas personas tienen éxito con él: los pilotos de autos de carreras, los miembros de ciertas ramas de la policía y fuerzas armadas, los pilotos aéreos, los conductores de la televisión, actores, periodistas, así como otras personas en las artes, en el ramo de la comunicación, y en los negocios y administración.

La tensión negativa ocurre siempre que nosotros percibimos una situación como amenazante, emocionalmente perturbadora o inquietante, en lugar de desafiante; siempre que hay un desequilibrio entre las demandas que se nos presentan y nuestra capacidad para solucionarlas. Si se está sujeto a un estrés prolongado sin que nos demos cuenta, cualquier casualidad relativamente menor terminará con el balance, haciendo que se produzca una reacción dramática y explosiva. El estrés es un poco como la gotita de agua cayendo, solamente una gota extra y el sistema entero se derrama.

Huída, Miedo o Pelea

Nosotros estamos condicionados, como seres humanos, a responder a una de las tres formas de estrés. Estas se conocen como: la huída, el miedo y el estar dispuesto a la lucha; estos mecanismos tienen su raíz fisiológica en el disparador que se activa en el cerebro.

El cuerpo no puede decidir la diferencia entre el estrés diario, como cuando se le hace tarde para una cita o se le quema la salsa en el sartén, y los sucesos de mayor carga estresante como verse envuelto en un accidente o verse amenazado por un ladrón. El cuerpo responde de la misma manera, liberando un diluvio de hormonas, incluyendo adrenalina, noradrenalina y cortisol.

Los músculos a través del cuerpo se tensan, la sangre se agolpa en el corazón y los latidos cardiacos aumentan. Al mismo tiempo, la glucosa es liberada para proporcionar energía. Se disminuye el flujo sanguíneo en el intestino para que se reduzca o se detenga la digestión. El suministro de sangre también es desviado de la piel y extremidades, por lo que las manos y pies se enfrían, palidecen, sudan y empiezan a temblar. La boca se seca cuando el flujo de saliva se detiene. El espacio en los pulmones se dilata, la respiración se vuelve rápida. Las pupilas se dilatan, el cabello se eriza. Los músculos de la vejiga y anales se relajan y contraen alternadamente creando la urgencia para orinar o causando diarrea.

Los efectos de la descarga de la adrenalina, sin embargo, no son completamente negativos. En momentos de gran peligro, ayuda a la supervivencia, movilizando azúcar para dar más fuerza, energía y vitalidad al cuerpo, permitiéndonos luchar fuertemente o correr rápido, fortaleciéndonos para la acción. Con el suministro de sangre reducida a la piel y en los órganos no importantes, el sangrado se minimiza en los casos de lesión, y no se gasta la energía en los procesos no inmediatos. La náusea o la diarrea también pueden ocurrir como una forma que tiene el cuerpo de eliminar el exceso de peso que podría retardarlo.

En la mayoría de las personas, una vez que el peligro ha pasado, se da una pronta recuperación. El cuerpo se calienta, la boca seca desaparece y la adrenalina se agota de los músculos a lo largo del cuerpo: el equilibrio se restaura.

Unos ejemplos típicos de una de las situaciones inofensivas inducidas por el estrés es hablar en público, hacer un examen u obtener una licencia de manejo.

Las personas sujetas a frecuentes y prolongadas tensiones pierden la habilidad de procesar los síntomas físicos inducidos por el estrés. Ellos permanecen listos para la acción, en la alarma roja, en un estado de semiexcitación.

Un cuerpo mantenido a ese nivel está como una maquinaria altamente calibrada, necesita una presión muy pequeña para ser desequilibrada. Pueden tener reacciones muy fuertes a pequeñas presiones. La agresión en el tráfico es un ejemplo muy gráfico de una reacción exagerada.

Predisposición al Estrés

Varios factores determinan la predisposición al estrés. Depende de la personalidad de cada individuo y de su habilidad para contenerse, de su autoestima, de confianza en sí mismo, del apoyo social, de la vitalidad física y de su salud general. Las personalidades resistentes al estrés tienen la habilidad de contenerse y de hacer ejercicios físicos, serán más resistentes que alguien que está viviendo disipadamente, bebiendo y fumando, y que ha dejado de practicar ejercicios físicos.

La autoestima es uno de los elementos más cruciales en una persona; es el escudo antiestrés. Influye en actitudes que, a su vez, afectan las reacciones al estrés. Estar desempleado y tener un sentimiento constante de desprotección puede causar una baja en la autoestima. Ese tipo de estrés crónico puede perturbar el equilibrio endocrino, causando descargas de cortisol, una hormona supresora del sistema inmunológico que, a su vez, baja la resistencia a las infecciones y a las enfermedades.

Por otro lado, las personas que se sienten en control de sus vidas pueden resistir lo que a otros podría parecer algo insufrible. Los controladores aéreos son un ejemplo. Un estudio reciente, llevado a cabo entre los empleados de un aeropuerto con mucho tráfico, dio por resultado que los controladores eran los menos estresados, mientras los empleados de limpieza reportaron un alto nivel de estrés.

No nos sorprende el resultado, ya que su actitud con respecto a sus trabajos, cómo ellos se perciben a sí mismos, empeorados con factores tales como la interminable naturaleza de sus trabajos — todo esto combinado crea una negativa y pesimista perspectiva de inconformidad. Esta perspectiva psicológica era a su vez reflejada en una proporción muy alta de enfermedades relacionadas con el estrés.

Lo que este y muchos otros estudios científicos muestran es que aquellos seres que son negativos y carecen de seguridad en su futuro, y que sienten que no tienen ningún control de su vida, se llevan la peor parte. Ellos se transforman en lo que piensan que son y lo que esperan que pase, sucede. En contraste, las personas con más control y con una perspectiva completamente diferente y más positiva también se vuelven lo que ellos piensan que son, y lo que ellos esperan que pase tiende a pasar. En la salud, en términos generales la pasan mejor.

Estrés Crónico
y las Enfermedades

Si está padeciendo de estrés crónico a largo plazo puede que su perspectiva sea negativa y pesimista. Así que la pregunta obvia, entonces, sería: ¿pueden contraerse enfermedades a futuro? A largo plazo, el estrés puede ser la raíz de una enfermedad seria. Está implicado en accidentes, así como en un rango de problemas psicosociales. La lista que sigue expone rigurosamente todos éstos.

Éstos son algunos de los problemas de salud, los cuales son serios, y todos son reconocidos por estar asociados con el estrés:

- ◆ Alcohol y abuso de drogas
- ◆ Alergias
- ◆ Ansiedad
- ◆ Artritis reumatoide
- ◆ Asma (ciertos tipos)
- ◆ Colitis
- ◆ Comezón
- ◆ Depresión
- ◆ Desórdenes de la piel (eczema, urticaria, acné)
- ◆ Diabetes mellitus
- ◆ Dispepsia nerviosa
- ◆ Espalda y otros problemas musculoesqueléticos
- ◆ Estreñimiento
- ◆ Fiebre del heno
- ◆ Flatulencia
- ◆ Hipertensión
- ◆ Hipertiroidismo/hipotiroidismo
- ◆ Indigestión
- ◆ Inflamación intestinal
- ◆ Migraña
- ◆ Problemas del sueño
- ◆ Problemas menstruales
- ◆ Síndrome del intestino irritado

◆ Trombosis coronaria (ataque al corazón)

◆ Tuberculosis

◆ Úlceras pépticas

Aparte de estos problemas específicos, el estrés tiene otros insidiosos eslabones, algunos probados, otros sospechados con la enfermedad. Muchos investigadores creen que hay un eslabón directo entre los eventos psicosociales y el sistema inmunológico. El estrés inhibe el sistema inmune que, a su vez, deja al cuerpo vulnerable a los tipos de enfermedades ya descritas, así como a condiciones serias, como las infecciones recurrentes. Ese eslabón, y la supresión de ciertos anticuerpos, también puede explicar el por qué aumentamos nuestro riesgo de adquirir un resfriado si estamos bajo estrés.

El cáncer se está relacionando cada vez más a los factores de estilo de vida. No existe ninguna evidencia concluyente de que el estrés sea parte de la ecuación que lo induce. Sin embargo, algunos expertos creen que representa una conexión.

Las hormonas adrenalina y noradrenalina, liberadas en el torrente sanguíneo durante los periodos de estrés producen placas arteriales. Cuando se está bajo tensión, el cuerpo libera también las grasas.

Esto produce el aumento del nivel de colesterol en el cuerpo, que a su vez facilita la formación de placas arteriales, llegando finalmente a endurecer las arterias. Ambas conforman algunos de los factores que están implicados entre las causas del infarto y las enfermedades del corazón.

El estrés puede romper el equilibrio hormonal en las mujeres, e interferir con el sistema reproductor. También puede afectar la menstruación y la fertilidad.

El estrés interfiere con la distribución de la sangre a través del cuerpo, lógicamente, cuando éste es prolongado impacta el crecimiento, el desarrollo y la reparación celular.

El estrés afecta las áreas del cerebro que controlan la alimentación, la agresividad y el sueño. También controla la liberación de la hormona serotonina que está implicada específicamente en los cambios mayores del comportamiento, como la depresión y los problemas del sueño.

La exposición al estrés causa que el cerebro aumente la descarga de cortisol que afecta el metabolismo de los hidratos de carbono y las proteínas.

Los cambios en la producción del cortisol pueden convertirse en obesidad o afectar la habilidad del cuerpo para combatir la inflamación.

El exceso de cortisol puede causar que las mujeres desarrollen características masculinas.

Los altos niveles de cortisol también pueden tener un efecto negativo en la concentración y en la atención, haciendo que la memoria a corto plazo sea pobre y que sobrevengan el olvido y las dificultades en la toma de decisiones.

Si alguien está agitado y perturbado, la habilidad de su cerebro para adquirir la nueva información puede ser menor. Como resultado, la productividad laboral y, en general, todo lo que se realice, puede decaer.

¿Estrés o Enfermedad Médica?

Según el Dr. Abbie Lane, psiquiatra especializado en el manejo del estrés, en la Clínica del Estrés del Condado de Dublín, el estrés no es un conjunto totalmente nítido. Muy a menudo, su diagnóstico se realiza al tratar de corregir otras causas. Muchos síntomas del estrés podrían apuntar hacia serias enfermedades médicas.

Como ejemplos, tenemos ciertas condiciones médicas, como una tiroides hiperactiva, que podrían parecerse a algunos síntomas del estrés (las palpitaciones, el sudor, las manos y pies fríos, intranquilidad, irritabilidad y dificultad para dormir.) Las náuseas o la flatulencia pueden indicar úlceras pépticas, mientras los dolores de cabeza pueden apuntar hacia un problema del cerebro más serio. Algún síntoma coronario de enfermedades del corazón (el ahogo, las palpitaciones, el vértigo, la náusea y debilidad) también se parece al estrés, por lo que es importante, agrega el Dr. Lane, que las personas consulten a un médico que determine la posibilidad de una causa fisiológica.

La perturbación del sueño se debe más comúnmente al estrés o a la ansiedad. Pero también puede tener causas fisiológicas, físicas, farmacológicas o medioambientales. (Ver *"Cómo entender el Sueño..."* para los detalles de estos factores)

Las Buenas Noticias

Las buenas noticias sobre el estrés son que éste es muy tratable. No es una condición que dure eternamente, solamente requiere de cambios básicos en el estilo de vida, nada exagerado. En primer lugar, desde luego que es preferible no volverse una víctima del estrés. Como ya se perfiló, hay ciertas cosas que nos protegen contra el estrés:

- ◆ buscar relaciones que ayuden
- ◆ confiar
- ◆ ejercicio
- ◆ evitar fumar
- ◆ manejo eficiente del tiempo
- ◆ mantener la perspectiva de las cosas
- ◆ ponerse metas
- ◆ regular descansos
- ◆ regular el estilo de vida, llevar una buena dieta, consumir poco alcohol
- ◆ relajarse

Hay una correlación directa entre la cantidad del estrés que tenemos y la baja productividad. Al enfocar la atención dentro de su trabajo en las fechas próximas, la productividad se puede aumentar. Pero existe también otro nivel en el que cualquier estrés adicional se volvería improductivo. En esta etapa, el buen estrés se convierte en negativo y sus conductas relacionadas empiezan a aparecer, éstas incluyen la irracionalidad, la irritabilidad, la incapacidad para priorizar, las perturbaciones del sueño, el letargo, la apatía, la agresión, el pánico, la ansiedad, y eventualmente, la depresión y el sofocamiento.

Capítulo 2
Eventos que Producen Crisis en la Vida por Orden Cuantitativo

El concepto del impacto que las diferentes crisis de la vida puede tener en las enfermedades es algo sumamente interesante. La teoría es que hay un alto porcentaje de asociación entre los eventos específicos que suceden dentro de un periodo de dos años anteriores, que indican una alta probabilidad de enfermedades mentales o físicas después de un tiempo relativamente corto.

Por ejemplo, una cuenta total de 300 indica un ochenta por ciento de probabilidad de que se desarrolle una enfermedad. Para una cuenta de entre 200 y 299, la probabilidad es cincuenta por ciento, y para las cuentas de entre 150 y 199, es treinta y tres por ciento. Nada de esto es absoluto, sin embargo, las respuestas y situaciones individuales serán tan complejas como variadas. Si una persona posee suficientes habilidades que lo amortigüen y lo protejan como lo ha descrito el Dr. Lane, entonces la probabilidad de enfermedad se reduce.

La tabla siguiente indica el orden cuantitativo de las crisis de la vida, como son identificadas por los doctores T. H. Holmes y R. H. Rahe, quien ha llevado a cabo el trabajo pionero en esta área. Para la mayoría de las personas, una de las cosas que más les sorprenden es que eventos que pueden a primera vista parecer experiencias positivas resulten estresantes, a una magnitud mayor o menor. El matrimonio, la reconciliación, un logro personal excelente, el nacimiento de un niño, la Navidad y las fiestas todas caen en esta categoría particular. Como el Profesor Cary Cooper, uno de los expertos mundiales en estrés, dice, si el evento es favorable o desventajoso, competitivo o complementario, esto es irrelevante.

Tabla de Cantidades de las Crisis de la Vida

Eventos	Puntos
Muerte del esposo o la esposa	100
Divorcio	73
Separación matrimonial	65
Encarcelamiento	63
Fallecimiento de un familiar cercano	63
Enfermedad personal o lesión	53
Matrimonio	50
Pérdida del trabajo	47
Reconciliación matrimonial	45
Jubilación	45

Enfermedad seria   44

Embarazo   40

Dificultades sexuales   39

Nacimiento, adopción de un nuevo bebé,
o persona mayor cambiándose a la casa   39

Fusión, reorganización, o quiebra del negocio   38

Cambio en el estado financiero
(lo mismo es ya sea para mejorar o empeorar)   38

Muerte de un amigo íntimo   37

Discusiones con la familia o la pareja   35

Hipoteca grande o préstamo   30

Acción legal de una deuda   30

Cambio en las responsabilidades del trabajo:
promoción /perdida de nivel/movimiento   29

Hijo o hija que dejan la casa   29

Problemas con los suegros   29

Logro personal excelente   28

La pareja empieza o suspende el trabajo   26

Empezar o acabar la escuela o universidad   26

Cambios en las condiciones de vida   25

Cambios en los hábitos personales   24

Problemas con el jefe   23

Cambio de horas de trabajo o condiciones   20

Mudanza de casa   20

Cambio de escuela o universidad   20

Cambio en la recreación   19

Cambio en las actividades sociales   19

Préstamo pequeño o hipoteca   17

Cambio en los hábitos del sueño
     (dormir más o menos)   16

Cambio de los hábitos alimenticios (comiendo
     más o menos, o comiendo a deshoras)   15

Cambio en la cantidad del contacto familiar   15

Fiestas   13

Navidad   12

Violaciones menores de la ley   11

Esta escala fue desarrollada originalmente por los doctores Holmes y Rahe hace muchos años. El profesor Cary Cooper y un equipo de investigadores han diseñado un nuevo sistema que usa las percepciones individuales de varios eventos de la vida para determinar su grado del enojo o de estrés.

No obstante que ellos tienen algunas similitudes, las dos tablas son realmente bastante diferentes. Algunas personas prefieren el original, porque la subjetividad no es parte del proceso de la medida.

La ventaja de valorarse en cualquiera de las tablas, la de Holmes y la de Rahe, o la de Cooper y Cheang, es el poder identificar cuáles de los grandes eventos de tu vida son los que más te han estresado, lo cual puede ser de gran ayuda para anticiparte a las posibles reacciones negativas de esos eventos.

Sabiendo tu cuenta total, y entendiendo y reconociendo la importancia relativa de cada suceso de la vida, puede señalarte cuándo necesitas prepararte a poner en juego tus técnicas para manejar el estrés.

Alternativamente, puede significar que te des cuenta de cuáles ajustes necesitas en ella, tales como reducir las horas de trabajo, o posponer un cambio de casa. O podría indicar la necesidad simplemente para tener más cuidado de uno mismo, en relación con lo referente a la dieta, la nutrición, ejercicio, descanso, relajación y recreación.

La encuesta que sigue se reproduce de *Vivir con el estrés*, por Cary L. Cooper, Rachel D. Cooper y Lynn H. Eaker, se reprodujo con el amable permiso de Penguin UK. Se usa la balanza de medida de las percepciones de los individuos mencionados para evaluar el impacto de aquellos eventos de la vida.

Eventos de Vida: Valuación Subjetiva

Pon una cruz (X), en la columna del Sí para cada evento que ha tenido lugar en tu vida en los últimos dos años. Después encierra en un círculo el número en la escala que mejor describa cómo te ha perturbando dicho evento; por ejemplo, encierra en un círculo el 10 por la muerte de tu pareja.

Evento	Sí	Escala
Compra de la casa		1 2 3 4 5 6 7 8 9 10
Venta de la casa		1 2 3 4 5 6 7 8 9 10
Mudanza de la casa		1 2 3 4 5 6 7 8 9 10
Renovación mayor de la casa		1 2 3 4 5 6 7 8 9 10
Separación del ser amado		1 2 3 4 5 6 7 8 9 10
Fin de una relación		1 2 3 4 5 6 7 8 9 10

Compromiso   1 2 3 4 5 6 7 8 9 10

Matrimonio   1 2 3 4 5 6 7 8 9 10

Problemas en el matrimonio   1 2 3 4 5 6 7 8 9 10

Espera del divorcio   1 2 3 4 5 6 7 8 9 10

Divorcio   1 2 3 4 5 6 7 8 9 10

Comienzo de la escuela
   o guardería del niño   1 2 3 4 5 6 7 8 9 10

Aumento de responsabilidades
   por un lactante, un enfermo
   o un anciano   1 2 3 4 5 6 7 8 9 10

Problemas con los parientes   1 2 3 4 5 6 7 8 9 10

Problemas con amigos o vecinos   1 2 3 4 5 6 7 8 9 10

Problemas con mascotas   1 2 3 4 5 6 7 8 9 10

Problemas en el trabajo   1 2 3 4 5 6 7 8 9 10

Cambios en el tipo de trabajo   1 2 3 4 5 6 7 8 9 10

Amenazas constantes   1 2 3 4 5 6 7 8 9 10

Cambios en el trabajo   1 2 3 4 5 6 7 8 9 10

Sucesos repetidos   1 2 3 4 5 6 7 8 9 10

Desempleo   1 2 3 4 5 6 7 8 9 10

Jubilación   1 2 3 4 5 6 7 8 9 10

Aumento o nuevo préstamo
   o hipoteca del banco   1 2 3 4 5 6 7 8 9 10

Dificultades financieras   1 2 3 4 5 6 7 8 9 10

Problemas del seguro   1 2 3 4 5 6 7 8 9 10

Problemas legales   1 2 3 4 5 6 7 8 9 10

Enfermedades emocionales o
   físicas de familiares cercanos
   o parientes   1 2 3 4 5 6 7 8 9 10

Enfermedad seria de familiares
cercanos o pariente que
requiere hospitalización   1 2 3 4 5 6 7 8 9 10

Experimentar alguna operación
de un miembro de la familia
o pariente   1 2 3 4 5 6 7 8 9 10

Muerte del cónyuge   1 2 3 4 5 6 7 8 9 10

Muerte de un familiar o pariente   1 2 3 4 5 6 7 8 9 10

Muerte de un amigo cercano   1 2 3 4 5 6 7 8 9 10

Enfermedad emocional o
física propia   1 2 3 4 5 6 7 8 9 10

Hospitalización de uno   1 2 3 4 5 6 7 8 9 10

Ser intervenido quirúrgicamente   1 2 3 4 5 6 7 8 9 10

Embarazo   1 2 3 4 5 6 7 8 9 10

Nacimiento de un bebé   1 2 3 4 5 6 7 8 9 10

Nacimiento de nieto   1 2 3 4 5 6 7 8 9 10

Miembro de la familia se va de casa   1 2 3 4 5 6 7 8 9 10

Relación difícil con los niños   1 2 3 4 5 6 7 8 9 10

Relación difícil con los padres   1 2 3 4 5 6 7 8 9 10

Total

Estrés bajo   Estrés alto

1_____50_____100

Capítuo 3
Comportamiento/ Personalidad Tipos y Ecuaciones de Estrés

A algunos tipos de personalidades les va peor que a otras en la guerra contra el estrés, y sus relaciones con ciertas enfermedades mayores. A la gente con el Tipo A les va peor que a todos. Por ejemplo, entre este grupo, la incidencia de enfermedad/muerte cardiaca debida a un prematuro ataque cardíaco es sumamente alto. Desdichadamente no muchas personas comprenden en forma rápida que, con unas modificaciones correctas al estilo de vida, se podría evitar cualquier enfermedad crónica o por lo menos dilatarla. Las enfermedades cardiovasculares simplemente son la causa más grande de muertes prematuras en el Oeste.

Personalidad del Tipo A

El comportamiento del tipo A fue por primera vez identificada en los años 60 por el Dr. Meyer Friedman, un cardiólogo de San Francisco. Un día, cuando la persona de mantenimiento, que limpiaba su oficina, comentó que los asientos de las sillas que sus pacientes usaban estaban notablemente calientes en los bordes. La razón era simple: La mayoría de los pacientes del Dr. Friedman, tendían a sentarse literalmente en el borde de los asientos. Ellos estaban la mayor parte del tiempo muy tensos. La observación despertó un proceso del pensamiento que llevó al Dr. Friedman a entrevistar a las viudas de sus pacientes que habían muerto posteriormente de ataques cardíacos.

La información que ellas proporcionaron acerca del estilo de vida de sus maridos y sus rasgos de personalidad, coincidió con otras investigaciones y observaciones propias, él aisló un número de claves que diferenciaban características y actitudes que creía se ligaban a las enfermedades cardiacas/infartos.

Pacientes que podrían ser descritos como agresivos, desesperados, impacientes e irritables eran los de mayor riesgo. Otros rasgos comunes entre ciertos pacientes de enfermedades del corazón y coronarias eran los que tendían a presionarse fuertemente para lograr mucho/hacer mucho pero era a menudo muy difícil vivir así para ellos.

Más tarde confirmó Friedman la creencia de que ciertos rasgos del carácter eran factores muy implicados en las causas de los ataques cardiacos, él decidió dirigir un experimento con sus propios pacientes. Le dio a la primera mitad un tratamiento convencional; y puso a la segunda mitad en un curso de ingeniería filosófica. Introduciéndolos a la poesía y al humor, les enseñó una manera diferente de pensar y de vivir, así como las pautas, referentes a vivir con menos estrés.

Muchos meses después el Dr. Friedman sentó a los dos grupos frente a una comida muy grasosa. Después, obtuvo pruebas de su sangre. Entre otras cosas, encontró que el primer grupo absorbió el colesterol en una forma muy diferente a la del segundo grupo. En el primer grupo, el colesterol permanecía en la sangre durante mucho tiempo después. Mientras que en el segundo grupo, los colores de la sangre volvieron a su normal rojo brillante dentro de los siguientes veinte minutos, porque este grupo metabolizó la grasa más rápidamente.

No fue que el primer grupo hubiera ingerido *más* colesterol. El factor crítico era que su sistema de adrenalina no les permitió metabolizarla, pues la digestión trabaja mejor estando relajados. Y ellos no lo estaban.

Comportamientos que Inducen al Estrés

Los siguientes son bocetos en miniatura del típico comportamiento del tipo A. Alguno de éstos no se adaptan bien y otros son más positivos. Generalmente las personas con el tipo A son:

◆ Muy exigentes consigo mismos y con los demás.

◆ Son impacientes y desesperados cuando otras personas hacen las cosas más lentamente de como les gusta a ellos y tienden también a completar las frases de estas personas.

◆ Son propensos a estallidos de agresión y se encolerizan, cosa que los sorprende incluso a ellos mismos.

- ◆ Se enfrascan en resentimientos.

- ◆ Pueden ser dominantes constantemente, sienten que ellos deben obtener más de lo que han logrado de ellos mismos.

- ◆ Se sienten perturbados la mayor parte del tiempo.

- ◆ Sienten que tienen que hacer todo por sí mismos y que no es bueno delegar.

- ◆ Visualizan la vida como una experiencia muy irritante y frustrante; no tienen ningún sentido de paz.

- ◆ Se presionan y predisponen contra el curso de los eventos.

- ◆ Son faltos de tolerancia y de paciencia, para ellos es difícil comprometerse productivamente con personas para resolver conflictos o problemas.

En un grupo de personas más exitosas, tales como comerciantes, empresarios y líderes de todos tipos, éstos pueden desplegar más rasgos del comportamiento del tipo A. Haciéndolos más orientados a someterse a esfuerzos que otras personas, ya que tienden a lograr un gran éxito, aunque tal vez tengan que andar un largo camino.

Comportamiento del Tipo B

En contraste, las personas que exhiben el comportamiento del Tipo B:

- ◆ Son capaces de permitirse dejar ir las cosas.

- ◆ Se aceptan más a sí mismos y a otros, así como a su realidad.

- ◆ Aceptan y perdonan más sus fracasos, no son excesivamente demandantes.

- ◆ No tienen problemas al confrontarse con los demás, si hay dificultades las enfrentan.

- ◆ Gustan de trabajar con las personas.

- ◆ Se relacionan bien con ellas.

- ◆ Toman tiempo para entender qué está pasando y si hay problemas tratarán de solucionarlos.

Cualquiera de nosotros puede manifestar algún tipo de comportamiento, dependiendo de la situación. Típicamente los individuos con más estrés despliegan más el Tipo A que el comportamiento del tipo B, pero esto se considera sólo anormal si se vuelve un patrón continuo.

De los dos el Tipo el B es la opción más saludable. Debe ser enfatizado, sin embargo, que las personas son raramente exclusivamente del tipo A o B.

Una combinación de los dos es usual, cambiando de uno al otro comportamiento (incluso durante el mismo día) dependiendo de las circunstancias y los niveles de estrés que están experimentando.

Otros tipos de personalidad propensa a adaptarse mal al comportamiento del estrés son del Tipo Ansioso y del Tipo Perfeccionista.

El Tipo Ansioso

Este tipo de personalidad tiene los rasgos particulares siguientes:

- ◆ Imagina que lo peor va a pasar.
- ◆ Ve el peligro por todas partes.
- ◆ Tiende siempre a ser hipervigilante, siempre está en guardia. Algo en su alrededor puede dar señales de problemas.
- ◆ Teme y anticipa los eventos.

El Tipo Perfeccionista

- ◆ Tiene excesivas expectativas de sí mismo y de otros.
- ◆ No acepta y critica sus fallas y las fallas de otros.

Este libro está diseñado para ayudar a las personas a inventar las estrategias para lograr cambiar su comportamiento negativo del Tipo A hacia la línea del comportamiento más saludable, del Tipo B.

Capítulo 4
¿Estás en Problemas?

Una sobrecarga de estrés puede manifestarse en un número de síntomas:

- Físicos
- Emocionales/mentales
- Conductuales

Una manera sencilla de ver hasta dónde está llegando el estrés es mantener un diario por dos o tres semanas. Con intervalos de medios o cuartos de días con una línea larga con la descripción de las emociones predominantes, reacciones físicas y los comportamientos dentro de estos estados de ánimo.

El siguiente ejemplo puede ayudar.

Lunes

	Actividad	**Pensamientos**	**Comportamientos**
Mañana	Un reporte a máquina que debió ser hecho la semana pasada o buscar escuela para el niño, se descompuso la lavadora.	Preocupación por el retraso y por terminar con prisas las demás cosas, imaginar qué será lo siguiente.	Impaciencia, irritabilidad, apresurarse, equivocarse, ansiedad y pánico.

Mediodía	Un sandwich en el escritorio, o té, pan y yogurt parada en la cocina.	Trabajos pendientes, esperando llamadas telefónicas.	Acelerada, comiendo rápido.
Tarde	Reporte terminado, regreso de llamadas telefónicas, transmito tres reportes, o voy con el Dr., reparar la lavadora, ir por alguien a la escuela.	Por fin terminé de hacer las cosas.	Me organicé, me siento aliviada.
Noche	Cena y caminata, elevar los pies para descansar, leo el periódico por primera vez en el día.	Me siento bien, pienso en el fin de semana.	Estoy feliz, sonriente y relajada.

Es importante rastrear las tres áreas: emocional, psicológica y de comportamiento simultáneamente. Las páginas siguientes proporcionan una lista de control acerca del tipo de síntomas predominantes a buscar. Si algunos de estos síntomas se han presentado algunas semanas, puedes necesitar consultar a tu doctor, para descartar la posibilidad de que sea causada por una enfermedad fisiológica.

Se debe ser capaz de identificar por qué se siente así. Si la tensión es la causa subyacente, entonces realmente necesita entrar a un programa para poder manejar el estrés. Si éste es ignorado, se podría desarrollar una condición física o médica seria o un problema emocional más debilitante.

Síntomas Físicos del Estrés

Éstos son muy variados, y pueden parecer a menudo interconectados. Por ejemplo, no sería raro para alguna persona ser tratado por un neurólogo (por una migraña), o por un urólogo (por un problema de la vejiga), o por un cardiólogo (para las palpitaciones), o el especialista de alergia (para el asma), sin relacionarlo nunca con el estrés.

La lista de los síntomas físicos clásicos es la siguiente:

- asma (una enfermedad complicada, la cual algunas veces es agravada por el estrés)
- aumento o pérdida de peso
- boca seca
- cambios en el apetito
- cansancio e inquietud
- contracciones de los músculos faciales
- deseo frecuente de orinar
- diarrea crónica
- dificultades para dormir (ya sea por falta de sueño o sensación de somnolencia o por despertar muy temprano en la mañana)
- distensión intestinal
- dolor de estómago/mariposas en el estómago

- estrangulamiento de la voz
- estreñimiento crónico
- excesiva sudoración
- gripes e infecciones recurrentes
- incremento de la sensibilidad/reacciones de enojo al ruido
- indigestión
- irritaciones en la piel, salpullido
- manos y pies fríos, o piel fría
- mareos
- migraña
- náusea
- obesidad
- palpitaciones, corazón palpitante
- problemas sexuales (impotencia)
- respiración irregular y falta de respiración, aún sin un esfuerzo físico
- susceptibilidad a las alergias
- temblores
- tensión muscular o ligero dolor en el pecho, estómago, hombros, cuello y mandíbula (algunas veces se debe al rechinado nocturno de los dientes), puños cerrados

Síntomas Emocionales/ Mentales del Estrés

Hay un mundo de diferencia entre el estrés de supervivencia, como las reacciones que ocurren antes de una entrevista de trabajo, mientras pronunciamos un discurso o alguna otra ansiedad de poca duración provocado por una situación desconocida y el tipo de reacción del estrés causada por la exposición prolongada a las situaciones difíciles.

Si son desatendidas estas reacciones pueden gradualmente desgastar la calidad de vida, y arruinar las relaciones entre compañeros de trabajo, familiares y amigos. Como resultado, las personas se pueden sentir aisladas, sin deseos de socializar. Porque se sienten estresados, con pocos o ningún deseo de relacionarse socialmente. Se excusan por no salir, no desean que el teléfono suene. El aislamiento social se empeora entonces, y se encuentran envueltos en un círculo vicioso.

El rango de síntomas emocionales puede incluir: el sentirse tenso, nervioso, aprehensivo, ansioso, suspicaz, receloso, melancólico, inquieto, y con falta de entusiasmo. Clínicamente con humor inapropiado, enajenado, insatisfecho, sin motivación para la vida, inseguro, manifestando poca autoestima, sintiéndose sin vínculos y manifestando insatisfacción en el trabajo.

Las reacciones pueden manifestarse como varios problemas psicológicos/mentales. Siendo el más serio de éstos la ansiedad, el pánico, los ataques depresivos con o sin tendencias suicidas.

Los menos serios, pero no menos perturbadores son los siguientes:

◆ actuar a la defensiva, o agresivamente

◆ ser demasiado crítico

◆ actuar desorganizadamente

- ser menos intuitivo y sensitivo
- con dificultades para tomar decisiones
- dificultad para recordar eventos recientes
- dificultad para trabajar en equipo o realizar tareas simples
- sentimientos de frustración con la gente
- tener dificultad con información nueva
- pérdida del poder de concentración
- dificultad para tomar decisiones
- irracionalidad o imprudencia
- irritabilidad, impaciencia, interrumpiendo a las demás personas
- pérdida de coordinación física con tendencia a sufrir accidentes
- mayor facilidad para cometer errores
- depender más de medicamentos
- problemas del sueño, como el estar acostado sin poder dormir, preocupándose por el día siguiente, o teniendo pesadillas.
- visión estrecha

Síntomas de Comportamientos del Estrés

Éstos incluyen:

- comportamientos antisociales, tales como pelear en público, o volverse insensibles
- argumentar que se está muy ocupado para descansar

- manejar descuidadamente
- comer rápidamente
- sentir que los problemas familiares aumentan
- incapacidad para desenvolverse
- pérdida de interés en el sexo
- baja productividad
- mal manejo del tiempo
- no cuidarse a sí mismo
- no descansar
- fumar o beber más de lo acostumbrado
- llevar el trabajo a la casa, o pensar en el trabajo mientras se está en casa
- temblor de voz
- salirse de relaciones de apoyo

La Lista de Control de la Depresión

La depresión puede ser reactiva, y puede ser causada por los niveles altos de estrés a largo plazo, por el tipo de crisis de vida descrito en las páginas 28-30, o simplemente por un sentido de fracaso o pocos logros. Los límites entre los períodos largos de infelicidad, agotamiento, un sueño de pobre calidad, la preocupación, el sentirse fuera de control son generalmente confusos.

La depresión endógena es otra cuestión, tiene orígenes químicos y está menos relacionada con los eventos diarios y el estrés.

Uno de los problemas con la depresión es que puede ocurrir tan lenta e insidiosamente, que usted ni siquiera se da cuenta que está deprimido. Ya para éste momento la espiral descendente de la depresión ha causado efectos a los niveles de su energía y en la realización del trabajo, en la habilidad para comunicarse con sus colegas, familiares y amigos y en la calidad global de vida que pueden convertirse en catastróficas.

Una proporción muy alta de las personas que consultan un médico general con problemas del sueño, o con dolores de origen desconocido, pérdida o aumento de peso o con cansancio crónico, está padeciendo la depresión, pero simplemente no se da cuenta. Por no sentirse compadecidos no buscan ayuda rápidamente, de hacerlo podrían aliviar los síntomas severos, para lo cual los modernos antidepresivos realmente trabajan.

El darse cuenta del problema y saber cómo y dónde conseguir las ayudas, es la llave para empezar a corregirlo. Usted puede buscar psicoterapia o ayuda de un consejero, o tomar algún otro curso de acción personal. La lista de control siguiente, puede ser el primer paso en ese proceso.

Si usted experimenta cuatro o más de los síntomas siguientes por más de dos semanas, probablemente tiene una depresión y debe consultar a su médico general para recibir ayuda.

1   ¿Se siente triste, ansioso o tiene un sentimiento persistente de vacio?

2   ¿Está usted cansado o se siente lento a pesar de haber descansado?

3   ¿Ha perdido el interés en la comida, sexo o el trabajo?

4   ¿Está usted despertándose durante la noche, o demasiado temprano en la mañana?, ¿o teniendo problema para conciliar el sueño?

5   ¿Ha bajado de peso sin hacer dieta, o ha aumentado?

6   ¿Tiene dificultad al pensar o al recordar, o para tomar decisiones?

7   ¿Se siente culpable o sin valor?

8   ¿Ha tenido pensamientos de muerte o suicidio?

9   ¿Siente dolores sin una causa física?

Usualmente, pero no siempre, los problemas como el tener dificultad para dormir, el despertar demasiado temprano o por el contrario, dormir mucho (nueve o diez horas o más), irá de la mano con la depresión. También es posible estar severamente deprimido y sin tener ninguno de estos problemas particulares para dormir.

Capítulo 5
Manejo del Estrés

*Dios, concédeme la serenidad para aceptar las
cosas que no puedo cambiar, el valor para
cambiar las cosas que sí puedo y la sabiduría
para saber la diferencia.*

La Oración de la Serenidad

Si la Oración de la Serenidad es el corazón de la filosofía del manejo del estrés, entonces las herramientas prácticas y esenciales para llevarlo a cabo son:

◆ incrementar el conocimiento de sí mismo a múltiples niveles (cognoscitivo)

◆ darse cuenta del estrés (comportamiento)

◆ estar conciente del cuidado de sí mismo (físico)

El control es una de las llaves para manejar el estrés. Orla O'Neil, la Directora de la Clínica del Estrés en el Condado de Dublín, dice que lograr y mantener el control inevitablemente produce que se introduzcan cambios cognoscitivos y físicos de nuestros comportamientos en la vida. No hay alivios rápidos.

La inteligencia adaptable es una de las habilidades psicológicas más poderosas que cualquiera puede tener. Crea una oportunidad de visualizar la vida a través de una lente diferente. Una vez que se tiene la manera de enfocar los conocimientos no se quiere dar marcha atrás, dice ella.

Revisión del Estilo de Vida

El primer paso en este proceso de ser consciente es llevar a cabo un tipo de revisión de sus emociones y de su estilo de vida. Esto exige investigar y realizar ciertas preguntas fundamentales. Se requiere reflexionar sobre lo que su vida esta reflejando.

Tómese un día festivo o un fin de semana o todas las veces que así lo requiera. Pero si no puede manejar el proceso por sí solo, pida ayuda a un terapista, o a un compañero, algún buen amigo, un consejero, o bien, un psicólogo o psiquiatra.

Orla O'Neil recomienda que se haga usted mismo una serie de preguntas como:

1   ¿Cuáles son mis mas profundas creencias y valores?

2   ¿Cuáles son las cosas más importantes en mi vida ahora? — religión, amor, salud, dinero, trabajo, familia, relaciones, entretenimiento, descanso, relajación, recreación, tiempo, o falta del mismo

3   ¿Cuáles son mis sueños, mis ambiciones?

4   ¿Qué me hace sentir feliz, qué es lo que me da un sentimiento de plenitud?

5   ¿Cuáles son mis fuerzas y mis debilidades?

6   ¿Qué espero de mí mismo, y qué puedo realmente hacer ahora?

7   ¿Conozco cuál es mi personalidad?

8   ¿Conozco cuáles son las cosas que me anclan personalmente a la vida?

9   Si yo fuera a mirar hacia atrás en mi vida a la edad de sesenta y cinco años ¿cuáles serían las cosas que yo quisiera haber alcanzado? ¿de qué me podría sentir bien?

10 ¿Mi vida tiene un balance? O tiendo mucho hacia una área en particular ¿Dinero, trabajo, relaciones?

El segundo punto consiste en valorar tus comportamientos actuales y darse cuenta de cómo están funcionando. El propósito de ésta parte del ejercicio es identificar en qué consiste la brecha entre los valores profundos, las prioridades, y las aspiraciones específicas en tu actual estilo de vida y actividades. En otras palabras ¿está viviendo la clase de vida que quiere vivir?

Las preguntas importantes son las siguientes:

Familia ¿Disfruto estando con mi familia, compañeros, padres, parientes o niños? ¿Quiero un hijo? ¿Más de uno?

Salud ¿Soy tan saludable como debo ser? ¿Sufro alguno de los síntomas listados en las páginas 43 y 44?

Plan de Vida ¿En mi plan de vida me veo como quiero estar dentro de cinco, diez o veinte años? ¿Tengo planes específicos acerca de mi profesión, mi familia, mis hijos, mi propio desarrollo? ¿Tengo ambiciones especificas que no he realizado todavía?

Amor ¿Estoy enamorado? ¿Soy feliz con mi pareja? ¿O estoy buscando a alguien mejor? ¿He perdido a alguien o algo que amaba?

Dinero ¿Cómo clasifico la satisfacción del trabajo comparado con el dinero? ¿Cuánto dinero necesito realmente para vivir? ¿Qué pasaría si tuviera un pequeño contratiempo económico? ¿Podría vivir con menos? ¿Me estoy poniendo bajo presiones financieras por las apariencias? ¿O por el status social? ¿Puedo tener los servicios de un consejero financiero?

Recreación ¿Cuánto tiempo programo cada semana para socializar, hacer ejercicio, estar con las personas que son importantes para mí? ¿Cuáles son mis principales pasatiempos, e intereses? ¿cuánto tiempo les consagro cada semana? ¿Qué tan divertida es mi vida? ¿Tengo la clase de vida social que realmente quiero?, ¿y con el tipo de personas que realmente me interesan?

Relaciones ¿La mayoría de mis relaciones son comprensivas? si no, ¿cuáles me hacen sentir triste? ¿Me encuentro diciendo sí, frecuentemente, cuando quiero decir que no?

Religión ¿Qué papel juega la religión en mi vida? ¿Es uno de mis valores más importantes?

Descanso. ¿Cuánto estoy descansando, duermo, hago pausas en el trabajo? ¿dedico tiempo sin hacer nada?, ¿voy a fiestas?

Tiempo ¿Tengo bastante tiempo para hacer todas las cosas que quiero y necesito hacer? ¿O estoy constantemente detrás del reloj o presionado con el tiempo?

Trabajo ¿Si no estoy trabajando, necesito o quiero trabajar? Si trabajo, ¿me satisface mi trabajo, lo disfruto? ¿Alguno de mis compañeros de trabajo se está aprovechando de mí? ¿Estoy trabajando el tiempo correcto? ¿Poseo las habilidades y el entrenamiento requeridos para desempeñar mi trabajo? O me debería de considerar sobreentrenado. ¿Poseo desarrollo propio, llevo una segunda carrera al mismo tiempo, trabajo por cuenta propia, o es un trabajo compartido?

El tercer paso es poner atención al aspecto físico y el cuidado que tengamos con nosotros mismos en nuestras vidas. Mientras mejor sea nuestra condición física más rápidamente terminaremos con el estrés. El cuidado propio de todos los puntos mencionados no es una indulgencia, es una necesidad.

Pueden hacerse varias preguntas extensas ahora, primero en el asunto de salud mental:

1   ¿Cómo calificaría mi nivel de autoestima en este momento?

2   ¿Sé cómo usar palabras adecuadas que impulsen mi autoestima?

3   ¿Cuál es mi trato favorito cuando estoy bajo estrés? — masajes, aromaterapia, voy al cine, a fiestas, disfruto un fin de semana, de descansos, me hago un facial o un peinado, disfruto una rica comida, leo una novela, telefoneo a los amigos, tomo un baño largo, desconecto el teléfono.

4   ¿Tengo patrones de conducta, con respecto a mi estilo de vida?

5   ¿Tengo personas que me puedan ayudar cuando las cosas se pones difíciles? ¿En ese caso, quiénes son ellos? ¿Yo me siento apoyado generalmente?

6   ¿Estoy mentalmente estimulado? ¿Siento la necesidad de aprender y experimentar un rango de cosas nuevas?

7   ¿Soy bueno para comunicar mis necesidades, deseos y opiniones con los colegas de trabajo, hijos y padres?

8   ¿Puedo negociar lo que deseo con mis amigos?

9   ¿Me deprimo? ¿Me canso?

Así como éstas, surgen varias otras preguntas alrededor de su salud física:

1   ¿Cuántas de las crisis de eventos de vida listadas en las páginas 28-30 aplican a mi vida en los últimos dos años?

2   Si mi cuenta es alta, ¿qué cosa he puesto en práctica, para remediarlo?

3   ¿Cómo se compara mi dieta con las pautas saludables que aparecen en el capítulo 9?

4   ¿Cuándo tuve mi último reconocimiento médico? ¿Cuándo visité al dentista?

5   ¿Cuántas horas de la semana dedico a mi cuidado? (ejercicio, yoga, técnica Alexander, relajación profunda, recibo masajes o sostengo una plática profunda con alguien que valoro su opinión)

6   ¿Mi trabajo me crea estrés físico o emocional?

7   ¿Cuánto estoy fumando? ¿Bebiendo?

Otras preguntas relacionadas con la relajación:

1   ¿Tengo las técnicas de respiración o relajación profundas para hacer frente a las situaciones de estrés? ¿Minimizándolas o previniendo las respuestas del estrés?

2   ¿Tengo un régimen de ejercicios aeróbicos regulares, o practico la relajación como cualquier cosa si sobra tiempo después del trabajo?

3   ¿Cuándo fue la última vez que reí plenamente?

Un Diario de Autoestima

Aparte del daño a la salud física, el daño a la autoestima es probablemente uno de los mayores resultados del estrés negativo. El estrés tiende a disminuir lo positivo y a enfatizar lo negativo, a menudo devaluando los logros personales y minando la confianza en sí mismo. Una táctica buena para tener una valoración más realista de sus habilidades y sus logros es guardar un diario de autoestima. Checarlo cuando se está manejando una doble valoración al compararse con otras personas. Esto involucra un proceso muy simple, cada día, anote un logro positivo, aunque sea pequeño, seleccione tres cosas, por ejemplo:

◆ Le sonreí a alguien
◆ Correspondí a los cumplidos de alguien
◆ No perdí mi paciencia en una situación difícil
◆ Hice tres tareas fuera de la programado
◆ Caminé en lugar de tomar el automóvil

◆ Ayudé a los chicos con sus tareas

◆ Hice un mandado para un vecino

◆ Comí bien en mi hora de comida en lugar de tomar un sandwich en mi escritorio como acostumbro

Mantenga esta rutina durante cuatro o cinco días. Después empiece una segunda columna en la misma página, al lado de los tres logros diarios pequeños, liste un logro importante. Este puede haberlo realizado en cualquier momento de su vida, y puede incluir:

◆ Me casé y crié a los niños

◆ Estoy *todavía* casada

◆ Estoy estudiando un instrumento musical en la escuela

◆ Aprendí a manejar, a cocinar, a volar, a usar la computadora

◆ Pasé un examen

◆ Obtuve un lugar en la Universidad

◆ Obtuve el trabajo que quería

◆ Compré mi propia casa

◆ Fui miembro del equipo de basquetbol en la escuela

◆ Aprendí a pintar

Este proceso de fabricar una lista puede parecer inventado, pero es muy útil, porque cambia la actitud completamente. Si usted está de cabeza por los problemas y las dificultades actuales, este proceso contiene su mente, cambiando automáticamente los pensamientos invariablemente negativos.

Lidiando con Personas Difíciles

El "hacerlo y el no hacerlo" de tratar con las personas difíciles es un tema muy amplio. El dar una descripción y prescripción detalladas no es posible dentro de los límites de un capítulo en un libro corto, este capítulo está enfocado en los principios generales y en las pautas que cubren las personas que crean el estrés predominantemente en los lugares de trabajo. El área de vivir con personas difíciles se explica brevemente en la última sección.

El tropezar con gente de personalidades desafiantes o con desórdenes de personalidad en el lugar de trabajo, no es inusual y puede ser muy estresante. Tener un desorden de personalidad no necesariamente significa que estas personas son psiquiátricamente perturbadas, en el sentido de ser incapaces de funcionar. Ellos funcionan, pero normalmente al precio de estresar a sus colegas y llevándolos a la desesperación.

Por un lado es un problema hacer frente con este tipo de gente, por ejemplo, con los rasgos de la personalidad narcisista. Tales personas son terribles para trabajar con ellas. Tienden a ser histéricos, todo lo personalizan, encuentran difícil de creer que el mundo no gira alrededor de ellos. Pueden sentirse heridos a la menor provocación.

Si este tipo de personalidad narcisista está al exótico final del espectro del manejo de la comunicación, entonces los siguientes son los más comunes de las variedades de personas que crean estrés. Es probable que usted las encuentre en su lugar de trabajo.

Las Personas No Dogmáticas

Este tipo de persona es típicamente pasiva:

- evade tomar la responsabilidad por algo
- actúa como un amortiguador
- se sienten víctimas
- se les dificulta tomar decisiones
- es inhibido, muy a menudo autocompasivo
- se subestima

Si se le da una tarea grande, no se quejará, pero probablemente se marchará y virtualmente tiene un colapso nervioso por las preocupaciones.

La Persona Agresiva

Esta persona es típicamente:

- demandante
- ruidosa
- despectiva
- muy a menudo culpa a los demás

Si le es dada una tarea mayor, hará probablemente algo impropio.

La Persona Agresivamente Indirecta

Esta persona es típicamente la que:

- evade la confrontación directa, pero ataca por la espalda

- reclama a todos, menos a ellos mismos
- es vengativa
- hace que otros se sientan culpables
- manipula
- pone a una persona frente a la otra

Si se le da una tarea grande, empezará preguntándose a quién de ellos puede culpar.

La Persona Dogmática

En contraste con todos los anteriores, este tipo:

- acepta sus propias limitaciones pero se esfuerza por mejorar
- acepta la responsabilidad por sus acciones
- cree que está bien cometer errores
- cree que está bien tomarse su tiempo para pensar cuando no conocen la respuesta de algo
- tienen relaciones abiertas y honestas y consiguen más de lo que ellos quieren
- se sienten bien con ellos mismos.
- es claro, directo y honrado
- es seguro, pero todavía puede sentirse asustado o infeliz al confrontar situaciones difíciles
- es un negociador bueno, que irá activamente a ganar las situaciones
- no teme al compromiso y toma una perspectiva realista del mundo
- reconoce que nada es perfecto

- se respetan ellos mismos, así como a otras personas
- se permiten disfrutar sus éxitos
- piden ayuda si ellos no pueden hacer algo
- hacen muchas oraciones con él "yo", tales como "me gustaría…", "yo quiero…".

Si se les da una tarea grande, pedirá un tiempo extra para completarlo.

Son reconocidos en el lugar de trabajo, como los opuestos a la agresividad, pueden ayudar a la comunicación y reducir sus niveles de estrés. Las personas dogmáticas son saludables. Son la clase de gente que nos gustaría tener alrededor, pues se sabe a qué atenerse con ellos. Se puede discrepar, pero se sabe que son justos.

Funcionan bien en términos de mantener relaciones saludables y manejar a las gentes difíciles. De hecho el dogmatismo y las habilidades de comunicaciones son la llave del éxito para el manejo del estrés.

Las manifestaciones centrales del comportamiento dogmático son:

- breves y concisos
- parándose o sentándose de una manera muy abierta
- manteniendo contacto visual apropiado y la más relajada expresión facial posible
- manteniendo distancia física
- hablando claramente, pero no levantan la voz

Gladeana McMahon es una psicoterapeuta y Codirectora del Entrenamiento Psicoterapéutico del Enfoque de

Problemas del Manejo del Estrés en Londres, hace una lista de varias estrategias para confrontar las situaciones difíciles.

El Modelo de los Tres Pasos

Siguiendo este modelo, una persona dogmática empezará una confrontación o la conversación difícil por:

1   Reconociendo algo a nombre de la otra persona, a lo largo de unas líneas que comenzarán con "entiendo que probablemente usted esté molesto conmigo acerca de…"

2   Agregando un vínculo, como "sin embargo, yo realmente me siento…"

3   Terminando con "y…", detallando una nueva sugerencia específica o un compromiso.

La persona dogmática busca un "gane" siempre que sea posible.

El Récord Roto

Este tipo de comunicación se diseña para prevenirse de alguien que está haciendo preguntas fuera de lugar. La idea es repetir la esencia de lo que tiene que decir, de todas las diferentes maneras posibles, mientras que permanece en el punto. El truco es no sonar como un perico, porque puedes inadvertidamente provocar una equivocación.

Usted debe prologar sus interjecciones con algo como "Me gustaría que…", o "sin embargo, como mencioné anteriormente…", o "puedo oír cómo está usted molesto…". Sin embargo, siempre regresando a la esencia de tu punto de vista.

Veladamente

Semiocultar es muy bueno para desactivar a las personas difíciles, agresivas. Usando ésta táctica, usted está de acuerdo con la parte de su queja: "Sí, yo sé, algunas veces puedo ser una parte del problema".

Aprendiendo las Cualidades

Nadie aprende cómo volverse dogmático de la noche a la mañana. Primero identifique dónde están sus debilidades, y entonces decida cómo obtener la ayuda leyendo un libro que enseñe cómo ser dogmático aprendiendo las nuevas habilidades de comunicación. Lo más importante es recordar las características de la persona dogmática, y aprenderlas es como aprender a manejar: difícil coordinar los elementos al principio pero se transforma en algo automático con la práctica. Es esencial seguir analizándolo y practicándolo todo el tiempo.

Una de las pruebas importantes de qué tan bien lo esta haciendo es cuando se tope con un fanfarrón. Cualquiera de las personalidades no dogmáticas: (agresivo o indirectamente agresivo) puede manifestarse como un fanfarrón. El común de los rasgos de todos los tres tipos puede incluir el sentido de controlar, la inseguridad, la baja autoestima o frustración.

Es esencial detener a los fanfarrones. Una persona dogmática siempre encontrará la manera de resolver este problema, ya sea respondiendo el agravio por los canales formales, o reaccionando frente a este penoso encuentro con una aseveración como: "Si usted continúa contestándome, yo tendré que considerar qué acción tomar próximamente".

Las Reglas de Oro —— Resumen

No se vea a usted mismo como propenso a fallar. Valore las situaciones en las que le gustaría ser más dogmático en la escala del cero al ocho en términos de grados de dificultad. Empiece con algo alrededor de un cuatro o cinco. Empezar con un ocho podría significarte fallar. Si se trata con problemas menores sólo se asegura un éxito mayor. Tome los pasos siguientes.

Analice su situación. ¿Cuándo soy yo y cuándo es otra persona? ¿Qué está pasando en este momento?

Decida lo que va a hacer. Salga y aprenda las habilidades de una persona dogmática. Siéntese y planee lo que va a decir a su jefe, y al fanfarrón de la oficina el día de mañana.

Actúe ya. Haga algo, no se siente solamente a quejarse. Ahora que ya ha analizado la situación y decidido la estrategia a seguir conforme sus recursos y hágalo.

Una Palabra Final —— a Casa, o Con Mi Pareja

Las habilidades recomendadas para tratar con las personas difíciles en el trabajo, pueden ser usadas también para manejar las relaciones personales de cualquier clase. Al igual que en el trabajo, lo más importante es recordar que las habilidades de la persona dogmática abarcan todos los aspectos de nuestra vida. Aquí presentamos algunas situaciones comunes y sugerencias de cómo manejar diferentes tipos de situaciones de la forma menos estresante posible.

1   *Tratando con el comportamiento enfurruñado* y malhumorado que generalmente presentan los tipos de personalidad indirectamente agresivos. Si no son manejados propiamente, pueden ser muy intimidantes. Las mismas técnicas que usted usaría con los niños pueden ser de gran ayuda en éstos casos, en otras palabras premia lo bueno e ignora el mal comportamiento. No es útil aplacar al enfurruñado. Ni tampoco imitar su comportamiento y tratarlo igual que él a usted.

El primer acercamiento es intentar que diga la causa ostensible que lo perturba. Si eso falla, el segundo acercamiento pudiese ser tratando de abarcar todo:

Parece como que sí hay algo que te molesta. Te he tratado de hablar de eso, sin embargo parece que tú no quieres hablar conmigo ahora. No estoy preparado para ser castigado por algo, cuando no sé ni la razón ni la causa. Lo que voy a hacer es dejarte con tus sentimientos y espero que en algún punto en el futuro estés dispuesto a hablar conmigo.

Mientras tanto, es de vital importancia que el que no está enfurruñado continúe con sus actividades planeadas, ignorando el comportamiento no deseado.

2   *Tratar de aclarar los hechos.* Hay una diferencia entre aclararlos y hacerlos peores. Lo que es peor

es estar de acuerdo con las personas difíciles y tratar de aplacarlos. En ese caso, todo lo que estás haciendo es perpetuando un comportamiento enfermo y mal adaptado.

La mayoría de las personas no están de acuerdo con la idea de confrontar los comportamientos equivocados, porque puede significar crear una oportunidad de discusión. Sin embargo, tratar de aclarar las cosas es lo más conveniente. No se debe permitir que los problemas se atasquen. Si una relación no puede resistir el tipo de escrutinio que sobrevenga de una discusión mayor sobre las dificultades particulares, seguramente es una relación equivocada. Finalmente, usted es el tiene que decidir si se queda en ésta o simplemente sigue su camino.

3 *Codependiente nunca más.* Su autoestima nunca debe depender de nadie más. Si estás viviendo con una persona difícil, es de vital importancia alejarse de su comportamiento. Si usted se encuentra constantemente adaptándose a lo que ellos quieren y necesitan, entonces está viviendo una vida de codependencia y, finalmente, de una forma muy estresante.

Si escoge continuar su relación con esa persona es importante que se cuide usted mismo. Nadie puede cambiar a nadie. Ellos tienen que querer hacerlo por ellos mismos. Asegúrese de estar lo mas lleno de vida posible. Tome descansos, visite a amigos. Muy a menudo cuando un compañero codependiente empieza a vivir su propia vida, obliga a la persona difícil a que confronte su comportamiento. No espere que esto suceda de la noche a la mañana, para la persona codependiente toma tiempo establecer un nuevo comportamiento. La persona difícil necesita comprender que los cambios llegan para quedarse.

Capítulo 6
Detonantes del Estrés

La siguiente es una mezcla ecléctica del comportamiento cognoscitivo y las pautas físicas de prevención del estrés.

Cognoscitivo

El tener pensamientos negativos causa tensión muscular y respuestas automáticas. Para prevenir ese tipo de presión autoinducida, supervise usted mismo el uso de palabras que expresen pensamientos negativos o rígidos.

Sólo toma un segundo para un pensamiento, imagen o experiencia crear una respuesta de alarma, por lo tanto se deben evitar palabras tales como: *debería, debe, tengo que, no puedo, siempre, deber, merecer* y *estúpido.*

A mayor "debería", "debe" y "todos" los imperativos que usted maneje, mayor presión está ejerciendo sobre Ud. mismo. Y más probabilidades hay de que se sienta culpable.

Trate algunas palabras opuestas, tales como: *puedo, quiero, no quiero, intento, a menudo* y *listo.*

Crear un Ambiente Positivo

Practique dando y recibiendo cumplidos. Cree el ambiente más positivo posible en donde quiera que usted vaya. Practique sonreír. Si no tiene el hábito de dar respuestas positivas a la gente, acostúmbrese a hacerlo. Dé cumplidos sinceros, la palabra gracias se apreciará, y producirá dividendos en la mayoría de las personas. Ser demasiado halagador o protector produce un resultado opuesto. Hay un mundo de diferencia entre los dos.

Evite a las personas que lo deprimen, o que lo culpan, que lo entristecen. En las situaciones de trabajo, evite la trampa de utilizar su tiempo de descanso o de comida para lamentarse del trabajo, de los colegas o políticas de la oficina.

Vea si usted siente una sensación de baja estima o de presión física después de haber estado con ciertas personas. Clasifíquelas de severamente negativas si son muy negativas y no las puede cambiar. Las preguntas claves para hacerse son: ¿Esta persona hace que sienta mis músculos tensos? ¿O hace latir con violencia mi corazón? ¿O me produce un nudo en mi estómago? ¿Me hace sudar? ¿Me produce dolor de cabeza? ¿Hace que sienta mis manos y pies fríos y viscosos?

Así como lleva el diario de realizaciones que mencionamos arriba, guarde una nota de sus pensamientos en las situaciones estresantes y de cómo lidió con ellos. En la sección de la terapia consciente se explica cómo y por qué este proceso trabaja.

Escriba las metas de su vida a corto, mediano y a largo plazo identificándola de la Lista de la Revisión del Estilo de Vida. Escríbalas en su diario, en una sola hoja, y lleve una tarjeta con las mismas en su cartera. Léalas de vez en cuando. Enfóquelas nuevamente, revise y cheque qué ha logrado. Otórguese crédito por haber completado sus esfuerzos.

Por lo menos una vez por día pregúntese: ¿Qué debería de estar haciendo para cuidar de mí ahora mismo? ¿Respiraciones? ¿Posturas? ¿Planear mis ejercicios, mis descansos o relajación?

La Importancia del Control

Recuerde lo dicho anteriormente sobre la importancia del control en la completa ecuación del estrés. Idealmente un sentimiento de poder para ejercer control promete ayudar a largo plazo en las situaciones estresantes. Es a menudo la razón principal del por qué mucha gente decide tener sus propios negocios. La mayoría de la gente no se pueden dar el lujo de dictar su propia agenda de actividades o ejercer el poder sobre algunas personas o situaciones. Controlar es cómo *respondemos* a las personas y situaciones cuando podemos dirigir nuestros actos.

Siempre que usted se enfrente con una crisis de trabajo o personal pregúntese, ¿será este problema todavía importante en cinco o diez años?

Comportamientos

Tome descansos regulares mientras lleva a cabo la mayor parte de su trabajo. Haga algo como escribir, o una tarea más física que le guste como trabajar un huerto o el jardín, o hacer la limpieza. Complázcase con unos minutos de descanso (o mejor con diez minutos), para telefonear a un amigo o pariente. Practique la respiración profunda, o ejercicios de estiramiento. Haga algo que le agrade, sueñe despierto, abra una ventana para respirar el aire fresco, o simplemente levántese y dé una pequeña caminata.

Los beneficios pueden ser ambos, físicos y psicológicos. Ellos también pueden ayudarle a mejorar la calidad de su concentración después de todo, y el resultado es el producto terminado.

La mente sólo se puede enfocar en los problemas por un tiempo limitado, bromear es tan importante como el trabajar, así que intente usar por lo menos de media a una hora todos los días divirtiéndose, haciendo actividades no problemáticas, (una afición, ejercicio, danza, música) sin interrupción.

Rechace preguntas y demandas no razonables diciendo, no sé, no me importa realmente, no lo deseo.

Ejercicio y Relajación

Asegúrese de tener diariamente algún periodo corto de ejercicio. Dé una pequeña caminata a la hora de la comida, tome un poco de aire fresco. Pare el auto un poco retirado de su destino y camine el resto. Traiga un par de zapatos cómodos para cuando tenga oportunidad de dar una caminata más larga.

Haga un par de respiraciones profundas para relajarse como parte de su rutina diaria. Practíquelo mientras está en la línea de carros o atorado en un congestionamiento de tráfico, o esperando en el recibidor del doctor, antes de hacer o recibir una llamada telefónica o mientras espera por una cita. Más adelante del libro puede encontrar cómo respirar correctamente.

Reduciendo el Estrés en el Trabajo y en la Casa

Cree un espacio en su área de trabajo que le transmita estabilidad y lo libere del estrés, coloque fotografías de la familia o de su paisaje favorito o quizás una postal en un lugar de importancia sobre su escritorio o en la cocina.

Empiece a desarrollar el hábito de apuntar las ideas buenas, ya sean relacionadas a su carrera, a los niños, al cuidado de la casa. De otra manera, se le pueden olvidar. Mantén una pluma y papel al lado del teléfono, para notas, mensajes o listas de compras.

Para evitar ser agobiado por los refunfuñones, divida las labores de la casa. Alterne estas labores semanalmente para que nadie pueda quejarse que a ellos siempre les toca los trabajos difíciles, aburridos y cansados. Coloque una nota con la rotación de los quehaceres en el refrigerador, para que no traten de evadirse alegando que ellos no sabían quién era responsable de qué.

El estrés y las interrupciones perjudican la digestión. Planee adquirir una contestadora automática y conéctela a la hora de la comida o de plano desconecte el teléfono. Fuera de tiempos de la comida, acostúmbrese a escuchar el sonido del teléfono como una sugestión para detenerse, respirar y relajarse (trate de mover sus hombros antes de contestar). Déjelo sonar por lo menos dos veces antes de contestarlo.

Si come solo no lea ni mire la TV mientras come. Comer es una actividad que vale la pena y a la que se le debe disponer su propio tiempo, usted debe estar consciente del sazón, de los tamaños de las porciones, de los colores y texturas. No coma directamente en los paquetes o presentaciones. Sea civilizado, ponga todo lo que coma en un plato, aunque sea solamente un bizquet, una galleta o una fruta. Siempre siéntese mientras come. Muchos estudios aseguran que escuchar música rápida mientras se come, le hace comer rápido. Depende del tipo de música que esté escuchando. Si lo duda, ¿por qué no la apaga?

La ropa apretada puede hacerlo sentir tenso, así que considere un cambio de guardarropa si es necesario.

Si tiene que completar una lista de labores aburridas, haga un trato consigo mismo, cada vez que termine algo de esa lista, prémiese con algo agradable. Si su trabajo es una gran pintura o arreglar el jardín es más importante todavía tomar unos descansos que lo restablezca. Para conservar su energía y entusiasmo en el más alto nivel, decida que no va a gastar nada más que un cierto número de horas, o de minutos, en las tareas duras. Ordene su tiempo después.

Si usted vive en una casa de dos pisos, asegúrese que cada viaje le reditué un beneficio doble. Hágase el hábito de que cada vez que suba o baje las escaleras lleve algo consigo. Haga menos aburridas las actividades desagradables haciendo algo divertido al mismo tiempo, por ejemplo, hable por teléfono con un amigo mientras plancha, escuche una cinta interesante mientras cocina o pinta.

Considere tener una mascota. Interactuar con un animal puede ser relajante. Escójalo cuidadosamente, que requiera poco mantenimiento y el cual no interfiera con su trabajo.

Estructuras de Relajación

Finalmente, haga una cinta de relajación de música para esos periodos cuando tenga tiempo para sí mismo y quiera desenvolverse en una forma estructurada; las siguientes son algunas sugerencias de música clásica:

◆ Beethoven, *Sinfonía Pastoral*

◆ Boccherini, *Concierto para Violoncello en Si* (Adagio)

◆ Debussy, *Danzas Sagradas y Profanas*

◆ Glinka, la *Vida del Zar*

◆ Pachelbel, el *Canon*

◆ Ravi Shankar, *Música Meditativa*

◆ Sibelius, el *Cisne de Tuonela*

◆ Vivaldi, *Las Cuatro Estaciones*

Yo también puedo recomendar los trabajos de compositores y músicos norteamericanos contemporáneos como Steve Halpem. Escoja las grabaciones adecuadas. Esta lista es muy larga para enumerarla aquí.

Finalmente se ha puesto en circulación "*8 Meditations for Optimum Health*" (8 Meditaciones para una Salud Óptima) por el Dr. Andrew Weil. En este CD el Dr. Weil combina la voz con música que ha creado para obtener efectos específicos en el sistema nervioso a través del uso de psicoacústicos.

El Dr. Stephen Palmer, Director del Centro para el Manejo del Estrés en Londres, dice que él siempre aconseja a los estudiantes escuchar a Mozart mientras estudian. Algunas investigaciones hechas en Japón indican que esto aumenta el CI en forma temporal. Dicho conocimiento por sí mismo puede ayudar a reducir el estrés.

Un Consejo Extra

La primera publicación en 1975, de la *Supermujer* de Shirley Conran puede ser una lectura de mucha ayuda. Obligatoria para mujeres y hombres, ya que es un tesoro de ideas acerca de cómo reducir el trabajo pesado y ahorrar tiempo, particularmente para cualquiera que hace malabares entre las obligaciones de la vida familiar y el trabajo fuera de casa.

Síntomas Físicos

Usted necesita aprender a reconocer las señales del estrés, tales como: la respiración ligera, el aumento de los latidos del corazón, el dolor de cabeza, las manos y pies fríos, la boca seca y los músculos tensos. Respire siempre que usted sienta venir el estrés, una combinación de respiración diafragmática junto con una docena de movimientos de hombros es muy efectivo. El ejercicio aeróbico es la mejor forma de eliminar los químicos del estrés, si se ha expuesto a una situación estresante y se necesita recuperar rápidamente.

Si usted está sentado frente a la computadora, o a un escritorio, cheque su postura y corríjala hasta sentirse cómodo. Trate de que no se canse su cuello ni su espalda. Vuelva su cuerpo hacia el objeto de su atención, en lugar de simplemente su cabeza. Mueva sus hombros cada hora, más o menos. Pare por tres o cuatro minutos cada media hora para estirar sus músculos y mantener la circulación.

Con un estilo de vida estresante o no, el ejercicio regular es muy importante. Los consejos específicos sobre qué tipo de ejercicio es mejor y cuándo hacerlos se especifican en el capítulo 8. Si el ejercicio formal o el practicar un deporte no le es posible, entonces camine. Lo mínimo recomendado como ejercicio es media hora o más por lo menos cuatro veces a la semana.

Es también muy importante tener una dieta bien balanceada. En el capítulo 9 puede encontrar consejos específicos sobre la nutrición y suplementos vitamínicos y minerales.

Intente guardar los ciclos de sueño regulares, con variaciones no mayores de una hora cada noche. Los fines de semana puede ser un poco más flexible, pero cualquier variación de más de dos horas en el dormir pueden causar insomnio en el domingo. (Vea *Cómo entender el Sueño...* para obtener información detallada de como tener un sueño saludable).

Evite Estimulantes

Si Ud. ya está estresado mantenga su consumo de café lo más bajo posible. Si es susceptible a los efectos de la cafeína, no consuma café ni bebidas conteniendo cafeína, como son los refrescos de cola o los chocolates calientes, por lo menos de cuatro a cinco horas antes de ir a la cama, ya que ellos pueden interferir con el sueño. Tener un sueño insuficiente puede estresarlo aún más. Vea el Capítulo 9 para otros comentarios y precauciones acerca del consumo del café.

Ingiera poco alcohol en tiempos de estrés. Ya que es estimulante, no es un sedativo y no es un buen amigo cuando alguien está en dificultades. En los momentos cuando se necesita pensar claramente y tomar decisiones racionales, el alcohol actúa en forma opuesta. También destruye las vitaminas del complejo B. Vea también el Capítulo 9 para precauciones y recomendaciones sobre el consumo del alcohol.

No use el alcohol como un medio de conciliar el sueño. Como algunas pastillas para dormir el alcohol deprime el sistema nervioso que es el que maneja el insomnio. Como sus efectos son desgastantes repercute en una reacción que lo mantiene despierto. Esto causa inquietud y fragmentación del sueño. También aumenta las oportunidades de despertarse a la mitad del sueño. Por lo que se refiere al beber socialmente, es importante recordar que el cuerpo toma una hora para metabolizar cada unidad de alcohol. Así que cuatro bebidas consumidas en el bar antes de la hora de acostarse representan cuatro horas de tiempo para recuperarse.

Puede ser una reacción natural el desear fumar un cigarrillo en momentos de estrés, pero de hecho probablemente es la peor cosa que pueda hacer para exacerbar el problema. Realmente aparte del daño que produce a los pulmones y a otros órganos, la nicotina crea un efecto casi inmediato aumentando los latidos del corazón, generando así un mayor estrés.

El viajar representa en sí mismo una situación estresante. Para ayudarse lo más posible, al hacer las reservaciones en la aerolínea, pida un lugar de pasillo para que pueda estirar sus piernas, o se pueda levantar a caminar sin perturbar a los demás pasajeros.

Y Finalmente, la Cama...

Finalmente, si usted está intentando descansar después de un día duro, la lectura de un *Best Seller* o disfrutar un baño tibio durante diez minutos, sumergiéndose tanto como le sea posible, es lo que recomienda la especialista en salud, Leslie Kenton. Después, envuelto en una toalla suficientemente grande para librarse del goteo, métase inmediatamente en la cama. El agua tibia es de lo más relajante para el cuerpo. El baño caliente antes de ir a la cama es un error, ya que estimula el corazón y hecha a andar su motor.

Capítulo 7

Administración del Tiempo Consejos Prácticos

Si usted no sabe qué es lo que desea hacer, es probable que acabe haciendo algo diferente.

Esta declaración puede parecer distante a la administración del tiempo, pero como se desprende de las páginas anteriores, si no tiene claras sus metas, direcciones y sentido de control, que son a menudo las fuentes más importantes del estrés, el manejo del tiempo será un deseo más que una realidad.

Hay un buen número de cursos de administración del tiempo. Todos le enseñarán que realmente el manejo del tiempo está enfocado en los *resultados*, no en las actividades.

Para empezar el proceso de identificar claramente sus metas y su dirección hágalo dentro de un marco de tres, seis o doce meses, cualquiera que sea la lista de sus metas tiene que ser de ahora a un futuro predecible, no por el resto de su vida, porque pueden haber prioridades o circunstancias que representen un cambio.

Si tiene un estilo de vida agitado, use sus tiempos improductivos para empezar este proceso: mientras aspira, pinta, plancha, riega el jardín, viaja, espera por una reunión, durante la reunión si está aburrida a morir, cuando espera en el teléfono que lo comuniquen con alguien.

La lista de sus metas debe referirse a las partes importantes de su vida. Deben de ser:

◆ una mezcla de cosas a corto, mediano y a largo plazo (días, semanas, meses y años)

◆ ser realistas en lugar de simples aspiraciones, los sueños no tienen parte en este ejercicio

◆ hechos por uno mismo, no metas cosas impuestas por alguien más

◆ específicas y cuantificables (por lo que se refiere a los números, dinero, aumentos y disminuciones)

◆ basadas en el tiempo, y con fechas de vencimiento para lograrlas

◆ firmeza y claridad

Cuando haya completado los elementos principales de la lista, podría aparecer algo a lo largo de las líneas siguientes:

Empleo: El crecimiento del negocio en un veinte por ciento dentro de dos años, tomar un viernes de cada mes libre, cambiarme cerca del trabajo el año entrante, adiestrar a un empleado para que tome una responsabilidad extra en noviembre, delegar ciertas responsabilidades a alguien dentro de los próximos seis meses, investigar las posibilidades de trabajar desde la casa antes de mayo, ordenar mi escritorio mañana.

Dinero: Hacer dinero u obtener un préstamo por el resto del año para cambiarme de casa, o de carro, o comprar un mejor equipo, invertir en un plan de pensión, contratar ayuda en la casa, tomar más vacaciones y descansos.

Relaciones familiares: Regresar temprano a casa para tener tiempo de leerle cuentos a los niños dos veces a la semana, tener una velada romántica con mi pareja una vez a la semana, invitar amigos a cenar una vez al mes, dedicarle cierto tiempo a los familiares ancianos una noche a la semana por los próximos seis meses, efectuar una caminata con la familia el próximo domingo.

Aficiones e intereses: Organizar un juego de golf/ tenis/squash una vez por semana, empezar un curso en la tarde, ver una película.

Cuidados personales: Entrar el mes próximo a una clase de yoga, hacer vida social camino a casa del trabajo tres veces por semana, meditar por veinte minutos dos veces por día, recibir un masaje o facial una vez por mes, visitar al dentista cada seis meses.

Como ya describí en el Capítulo 6, el control del estrés llega cuando ha identificado sus metas específicas, comprométase con ellas diariamente, o haga un diario, si ya ha empezado a escribirlo revise su lista regularmente para darse cuenta de cómo lo está haciendo, dése cuenta de cómo está siguiendo sus metas, y tache las que ya cumplió

¿Qué tan Importante es su Tiempo de Trabajo?

Ahora que usted ha establecido sus metas, su próximo paso debe de ser crear un orden basado en prioridades. Ya funcionando, cuánto tiempo le lleva concentrar su mente. Si usted trabaja por cuenta propia, de los 365 días de cada año, tiene aproximadamente 230 días productivos disponibles, después de descontar fiestas y fines de semana. Pero no tiene concesiones, obviamente, para enfermedades, embarazos, paternidad o cuidado de los niños, demandas u otras eventualidades imprevistas.

Sume los costos totales de sueldos, impuestos, gastos fijos, honorarios profesionales, del apoyo administrativo y del equipo. Divida éstos costos entre 230 y de nuevo entre ocho, para conseguir su Proporción de cada hora por día activo.

Ahora ya tiene una nueva perspectiva de cuánto merece la pena su tiempo de trabajo realmente. Si tiene un trabajo permanente con derecho a jubilación, haga el mismo ejercicio. Los detalles diferirán, pero el principio es el mismo. Recuerde este rango de salario entre horas y días, téngalo presente siempre que le pidan que viaje a alguna parte, asuma una nueva tarea, asista a una reunión o cualquier otra actividad.

¿Cómo Utiliza su Día?

Si usted está teniendo problemas para manejar su tiempo de trabajo, lleve una bitácora de actividades durante unos días. Anote todas las actividades desde el momento en que se levanta. Incluyendo los tiempos de traslados, las llamadas telefónicas, cuando hace el té, cuando charla con los colegas y cuando resuelve todo lo que se presente.

También asegúrese de anotar cuando su periodo de energía tiene sus altas y sus bajas. Si lleva vida social nocturna, en la mañana puede ser más creativo y productivo. Entonces es cuando debe llevar a cabo las tareas intelectuales y emocionales mas demandantes. Si usted es trasnochador, su productividad puede aumentar hacia el final del día, así que las tardes pueden ser el momento adecuado para escribir o realizar el trabajo estratégico.

A media tarde puede ser un tiempo bajo para ambos, además entre las 2:30 y las 4:30 p.m. el cerebro trabaja más perezosamente. A media tarde hay un declive muy común que se une a nuestro ciclo del ritmo cardiaco. El ritmo cardiaco también actúa en otras funciones, como la digestión. La digestión es óptima por la mañana y a mediodía. Si sigue una rutina de tres comidas al día, tenga su más grande comida del día a esa hora.

Separando lo Importante

Luego, examine las bitácoras diariamente. Separe cuáles de las cosas realmente importantes se hicieron, no las urgentes. Compare cuánto tiempo usó ejecutando otras actividades. Las diferencias entre los resultados que logró en esos días y las tareas que completó. Compare los resultados con sus metas importantes. Analice los espacios más grandes para que se dé cuenta en dónde se gastó, por qué y por quién el tiempo. Si los resultados tampoco parecen ser buenos, usted necesita ayuda.

Equípese para Controlar el Estrés

Si usted puede permitirse el lujo de tomarse uno o dos días para tomar un curso de organización de tiempo, hágalo. Si ésa no es la opción, compre un organizador personal o un cuaderno de trabajo. Introduzca sus metas importantes, e invente un plan de acción para cumplir las tareas, en otras palabras, *importantes* no *urgentes*. Antes que sé comprometa en una fecha, siga preguntándose: ¿Es ésta realista, realizable?

Cuando haga planes y compromisos, tenga presente el principio de Pareto, o la regla de ochenta/veinte. La base de esta regla es que, típicamente, el ochenta por ciento del esfuerzo que no está bien enfocado genera sólo el veinte por ciento de resultados. El restante ochenta por ciento de resultados se logra con sólo el veinte por ciento del esfuerzo.

Sobrecarga de Información

En un estudio reciente llevado a cabo por Reuters Business Information, de 1,300 gerentes en el Reino Unido se reporta que la mitad de ellos están sufriendo de sobrecarga de información. Tan grande es el exceso de informes, correspondencia, e-mail, correo de voz, llamadas telefónicas y mensajes del fax, que están siendo afectados con un estrés mayor, tanto en el trabajo como en sus vidas familiares. El mundo industrializado ya está padeciendo por la sobrecarga de información. Por ejemplo, en un reciente artículo del *Sunday Times* se declaró que una copia de una edición semanal del *New York Times* contiene más información que la que podía adquirir a través de toda la vida el promedio de la gente que vivía en el siglo XVII en la Gran Bretaña. El mismo artículo también afirma que entre 1967 y 1997 se produjo más información que en los previos 5,000 años. Cada veinticuatro horas, se están produciendo veinte millones de palabras acerca de información técnica.

Si usted está en el extremo receptor de un diluvio de material, haga trampas, considere el principio de Pareto. Si toma en cuenta que solamente el veinte por ciento del material de lectura que pasa por sus manos vale la pena, ¿usted lograría sus objetivos con hojear el resto? Esto es verdad, con relación al material no solicitado que entra a través de su buzón. Aprenda a ser cruel, deshágase de él, o mejor aún, haga algo para bloquear la fuente de su origen. La Asociación de Consumidores puede informarle si existe una Asociación de Correo en su localidad. Esta Asociación puede arreglar que su nombre pueda ser retirado de las listas personalizadas de las Compañías.

Acciones para Contrarrestar el Estrés en el Trabajo
Paso 1: El Plan de Acción

Intente llevar las listas de proyectos de cómo abordar las tareas completas en su cabeza (como opuesto a comprometerse en papel). Es una forma de protegerse del estrés innecesario y de las preocupaciones. Escribir la lista de prioridades y un plan de acción es el primer paso en el camino para desestresarse en el trabajo. Es realmente efectivo.

Para obtener los mejores resultados, debe ejecutar un plan de acción para el día siguiente durante la tarde anterior. Ese plan debe tomar en cuenta cuánto tiempo no comprometido tiene durante ese día. No se trata de sobrecargarse usted mismo. Redúzcalo a más o menos quince tareas, y no gaste más de quince minutos trabajando en cada una de ellas.

Ponga su plan de acción en la agenda, en la página opuesta de su diario para el día siguiente, y conserve ésta para anotar sus citas.

Antes de que llene cualquier punto de acción, pregúntese si este podría ser realizado igualmente bien por cualquier otra persona cuyo tiempo sea menos valioso y más disponible. Si sí, entonces no lo haga usted. *Deléguelo* aún si usted puede hacerlo mejor.

No haga una lista de acción al azar. Si tiene un número de proyectos en puerta destíneles un lugar y póngales un título a cada uno. Haga una lista en algún orden: por su importancia, por su dificultad, o por ser fuentes de nuevas oportunidades, o porque la relación con ellos le representa un problema.

Dentro de ese orden ponga la lista de las actividades importantes que *deba hacer* el próximo día. Liste éstos en el orden descendente de prioridades Así, las cosas más importantes deben quedar realizadas al principio y las no muy importantes pueden permitirse el lujo de demorarse al fondo de la lista hasta su realización, o su desaparición, ya sea porque se pasó la fecha para realizarlas o porque realmente no eran importantes. Seleccione:

◆ de las tareas mayores que deben estar hechas tal día (recordando poner un tiempo estimado *realista* para cada una)

◆ lista de llamadas telefónicas importantes en orden de prioridad

◆ lista de las personas a contactar

◆ tareas mayores de administración o mantenimiento de la casa

◆ contactar con amigos para saber cómo están, intercambiar opiniones, ponerse al tanto de las novedades en la industria, en el desarrollo de los negocios, la mercadotecnia, o simplemente planear un desayuno en un café, la sociedad de padres de familia, los grupos de ayuda o un club social

◆ otras tareas que no entran en cualquiera de estas categorías.

Al fondo de cada hoja de acción diaria, deje unas líneas para apuntar sus actividades y cuidados personales que tiene que realizar.

La cosa más importante sobre este control del tiempo y el proceso de planeación de sus actividades, es que no debe permitir que nada, aparte de las crisis, lo desvíen de su lista de acción para el día siguiente.

Si, después de todo esto, usted ha calculado mal el tiempo, porque las interrupciones o demandas de las personas lo alejan de la lista, transfiera los puntos de acción a la hoja del día siguiente hasta que queden realizadas. Si usted no los transfiere existe una buena oportunidad de que no sean ejecutadas.

Cuando haga citas, acostúmbrese a escribir siempre el número telefónico de la persona con la que quiere reunirse. Esto es conveniente, por muchas razones, por ejemplo, para avisarle que está retardado, que ya está en camino o quizás para la confirmación rápida de la cita o de que va a llamar después.

Algunos expertos recomiendan empezar cada día haciendo una tarea difícil — como enviar una carta de negativa, haciendo una llamada telefónica de condolencias, bosquejando una página o dos, haciendo un informe tedioso o realizando una parte importante de la labor mayor del día. Una de las razones para esto es el alivio psicológico que se obtiene al ejecutarlas. El empezar una actividad que había pospuesto le produce una sensación de logro.

Tratar esencialmente de controlar el tiempo puede lograrse de las siguientes maneras: sólo ocúpese una vez del papel. La regla es:

♦ realícelo

♦ deléguelo

♦ deshágase de él

O recircular el mismo pedazo de papel con la contestación escrita a mano.

Tres puntos finales para planear las actividades de su día respecto a:

a) Tome en cuenta los tiempos altos y bajos de su energía diaria. No asigne los momentos bajos de su energía, o los momentos en que puede ser interrumpido para ejecutar tareas difíciles, mejor aún combine los periodos de mayor energía con los de baja interrupción, por ejemplo, cuando los teléfonos no están sonando.

b) Resista la tentación para hacer cosas pequeñas o sin importancia en los momentos altos de su ciclo de energía.

c) Dese cuenta qué tanto tiempo le está tomando la realización de su lista. Si hay algunos puntos que han tardado días o semanas para ser realizados, averigüe a qué se debe, revise cuidadosamente para descubrir qué cosa no está funcionando en el sistema. ¿Si estimó mal el tiempo que había asignado a las tareas? ¿Si es alguien o algo lo que lo esta interrumpiendo o distrayendo? ¿Si son las máquinas u otros recursos los que están consumiendo su tiempo? ¿o es el control? ¿o es que necesita apoyo de un especialista? ¿Tiene algún impedimento con su tiempo? ¿Ha aceptado con posterioridad hacer otras cosas?

Paso 2: Control del Teléfono

Aprenda cómo manejar mejor su tiempo con el teléfono. Cuando sea posible inicie las llamadas en lugar de recibirlas. Esto no solamente es bueno para su tiempo, sino que también le da una ventaja psicológica y táctica. Siempre tenga una idea clara de cuál es el objetivo de la llamada. ¿Por qué la está haciendo? ¿Qué es lo que espera obtener? Haga una lista de control de puntos para sus llamadas.

Y de esta forma consiga obtener el mejor resultado de ellas. Hágase el hábito de cronometrar las llamadas, para darse cuenta de cuánto tiempo están durando. Tenga un reloj a un lado del teléfono, para que sus llamadas duren tres minutos o menos. Considere hablar mientras está de pie, así perderá menos tiempo en una charla. Algunos expertos también dicen que estando parado se habla con más autoridad. Tiene algo que ver con la proyección de la voz y el aire en los pulmones.

Si sabe que la persona a quien está llamando tiende a extenderse, adelántese, prepárese a interrumpirlo.

Si está tratando de comunicarse con la persona que toma las decisiones, alguien que es, por otra parte, difícil para localizar, le funcionaría mejor tratar cuando sea más probable que estén en su escritorio y no en una junta. Por ejemplo, los gerentes pueden empezar el trabajo a las 7:30 de la mañana (porque es la mejor hora para leer, pensar, escribir). Normalmente no hay nadie que bloquee el paso de sus llamadas a esa hora. El personal de seguridad solamente las amortigua y podrían comunicarlo directamente.

Así podría conseguir esos diez minutos vitales de tiempo sin interrupciones de conversación con su médico o con el maestro de su niño, si usted llama simplemente antes de su primer paciente, o bien antes de empezar la clase.

Al dejar los mensajes, siempre deje su número telefónico, es más cortés. En todo caso, usted no debe asumir que cualquier persona a la que esté llamando tiene su número. También cuando ésta tiene que contestar varias llamadas les molestaría tener que buscar su teléfono, y si además puede tener alguna idea de lo que se trata la llamada le sería más grato el contestarla. Relacionado a eso, deje los mensajes *específicos*. Si es una simple llamada para solicitar información, entonces pueden delegar a alguien para que lo haga. Si deja el mensaje con alguien más, llame después nuevamente. Eso se traduce en mejor aprovechamiento del tiempo de todos.

Deje mensajes claros, pero *cortos* en la contestadora y en el correo de voz. Tener que escuchar mensajes muy largos, resulta estresante para alguien ocupado y sobrecargado de trabajo. Les guste o no el correo de voz se está volviendo más común cada día y está aquí para quedarse. En Estados Unidos ya el ochenta por ciento de los mensajes de las oficinas se maneja por correo de voz.

En las llamadas telefónicas vaya rápidamente al punto. Siempre asuma que a quien quiera que esté llamando está bajo la presión del tiempo o sobrecargado de información, aunque no lo haya encontrado. Puede dejar al final una pequeña conversación.

La mayor parte de la gente lo hace al revés. Si desperdicia los primeros minutos, corre el riesgo de que a la persona que está hablando la interrumpan con otra llamada o tenga que salir a una cita. Así la oportunidad de lograr su propósito principal se perderá. Si la llamada va a una fase de conversación personal, esté seguro de tener los datos de la persona con quien habla a la mano, nombre de la esposa, salud, hobbies, detalles familiares.

Considere realizar algunas llamadas sólo antes del almuerzo o en camino a casa. Las personas platicadoras hablan menos cuando tienen otra cosa que hacer.

Los expertos dicen que una persona típica gasta una quinta parte de su día intentando recuperar la información. Para desperdiciar menos tiempo vacíe los archivos de la computadora regularmente. Considere tener simplemente una carpeta de archivo para cada proyecto actual; entrelace las secciones para categorizar los títulos de información. En lugar de realizar una gran limpieza general cada primavera arregle un poco el desorden del escritorio regularmente. Engrape la correspondencia relevante en orden cronológico, no le ponga clips a los documentos, pues inadvertidamente puede colocar material de información junto a otro que no está relacionado.

Donde le sea posible archive material propio que esté al alcance de su mano, esto es particularmente útil para obtener información mientras está al teléfono, o si tiene que escribir de prisa en una junta. Use las unidades de archivo portátiles por guardar cobros de la casa, papeles de garantías, manuales de equipos y documentos legales juntos. Para reducir el tiempo buscando los números telefónicos, agrupe las cosas por categorías de acuerdo a cualquier palabra clave. Por ejemplo:

C para carro, casa (la compañía de alarmas, constructores, ayuda doméstica, pintores, jardineros, mantenimiento, compañía de gas, seguros, electricista)

E para emergencias (la compañía de la alarma, la estación de policía, la línea directa del marido, del rescate automovilístico, el doctor, el plomero)

F para la familia (las hermanas, hermanos, los padres, los suegros)

M para algo médico (el doctor, el dentista, el ortopedista, etc.)

O para cualquier objeto de oficina (los suministros de la computadora y servicios)

R para sus restaurantes favoritos

N para los niños, la escuela etc.

Apunte los teléfonos con lápiz, ya que pueden cambiar.

Para el uso del escritorio, use un Rolodex. A éstos les cabe una cantidad grande de tarjetas comerciales, y su sistema de localización es muy rápido.

Considere poner un cordón extralargo a su teléfono, de manera que se pueda mover alrededor de la casa o de la oficina mientras habla por teléfono. Esto le permite hacer una doble tarea, alimentar al bebé, bajarle a la radio, echar a andar el tostador de pan, darle vuelta al guisado en la estufa, alcanzar el periódico, transportar un documento a un colega, llenar el portafolio con los materiales antes de dirigirse a una junta, sacarlos después de la reunión.

Paso 3: Ordenar sus Citas

Consiga una buena reputación por llegar siempre a tiempo. Si consistentemente empieza y termina las juntas a tiempo, la gente aprenderá a respetar y acomodar su tiempo. Agrupe todas las juntas geográficamente, si está haciendo llamadas rápidas, y preparando varias citas en el mismo día. Sea realista acerca de los tiempos de traslado y de estacionamiento.

Llegar tarde a una cita lo pone en una situación de desventaja psicológica inmediatamente.

Arregle juntas en tiempos ligeramente inusuales como a las 2:15, en lugar de 2:30 o 3 p.m. Las personas tenderán a respetar ese tipo de tiempo impar. Algunos expertos recomiendan usar tiempos impares, como 9:25, para crear la impresión de que su tiempo es muy valioso, ya que realmente lo es.

Consejos para Escribir

En lugar de trabajar en su escritorio, en donde muy probablemente sea interrumpido, vaya a otra parte, a donde pueda escribir. Pruebe hacerlo en la biblioteca, o en un cuarto de conferencias vacía, específicamente donde sea libre. Pida a alguien que tome los mensajes y que le informe de las llamadas importantes, tome nota, y regrese las llamadas cuando dijo que lo haría. Esto crea confianza y credibilidad, quita por consiguiente, culpa y estrés.

Comience los trabajos mayores cuando su mente esté clara, es decir, durante los periodos altos de energía.

No intente ni haga los trabajos de escritura importantes durante los tiempos de las llamadas telefónicas.

Un escritorio es para escribir, no un espacio para almacenar. Conserve cualquier ambiente de escritura libre del desorden, nada debe estar ahí aparte de los materiales de referencia, los cuales conservará a la mano.

Para evitar desórdenes al momento de hacer las llamadas telefónicas, y desperdicio de tiempo en las reuniones, numere las páginas (y párrafos si es necesario) de los documentos.

Haga más uso de cintas en las conferencias para ahorrar tiempo.

Use grabadora en las reuniones. Esto le permite concentrarse en el contenido de lo que se está diciendo, en lugar de tener que tomar apuntes detallados. Use los pensamientos para repetirlos en las siguientes reuniones como puntos de acción o para bosquejar un documento propuesto o carta.

Consejos para las Juntas

Todas las juntas deben tener un propósito claro, es decir, deben de ser diseñadas para decidir algo, o impartir alguna información. Debe tener una agenda y un limite de tiempo. Si es posible, estar de acuerdo en cuánto tiempo va a tomar.

En general evite las reuniones para desayunar, almorzar o cenar, solamente que usted sea el anfitrión en el lugar. Ellos deben de tomar algo en los descansos.

El mejor momento para una reunión no necesariamente puede ser el tiempo que parece satisfacer a todos. Por ejemplo, las reuniones realizadas muy temprano por la mañana, o en sábados y domingos pueda, sorprendentemente, ser una buena idea. Se prestan más para no dejar puntos sin solución. En éstas se debe concentrar más la mente, ya que se están realizando en el tiempo personal de la gente.

Si alguien más ha sido llamado a la reunión y usted no puede quedarse todo el tiempo, avise su salida anticipada. La agenda debe reestructurarse para cubrir los puntos importantes en que usted está involucrado. Así, usted evita que se tomen decisiones importantes después de su salida.

Si usted es el organizador de la reunión, evite desperdicios de tiempos con interrupciones para el té, el café o el agua, colocando con anticipación todo esto en una mesa dentro del salón de la junta, para que las personas puedan servirse.

Si tiene una comida en un restaurante con un cliente, y tiene poco tiempo, un buen servicio en vital. Dele una propina al mesero cuando usted llegue y explíquele que necesita un servicio eficaz. Si son solamente dos, reserve una mesa para tres, es probable que usted consiga una mesa buena y más grande.

También puede ahorrar tiempo de espera por la cuenta si deja su tarjeta del crédito al cajero cuando usted llega. El personal puede ir entonces adelantando el proceso. Siempre tenga su diario con usted para las reuniones. Si puede, anime a otros para hacer lo mismo. Úselo para anotar las decisiones importantes y las que no lo son, las fechas en que se ha comprometido, etc.

No permita que las decisiones queden abiertas. Siempre formalice la acción con fechas y días límites, esto dejara ver la seriedad de las resoluciones. Las personas probablemente se apegarán más fácilmente a una fecha que ellas hayan señalado.

Anotar los puntos relevantes lo previenen de tener que regresar a la oficina por las notas, o informes del contacto. También es probable que esos puntos de acción pertinentes se pudieran olvidar después.

Elimine la práctica de llamadas en las juntas, a menos que sea algo muy trascendental.

Haga los salones de juntas prácticos teniendo los materiales y el equipo apropiados, (una videocasetera, un pizarrón blanco, carpetas, colores, lápices, etc.)

Para las reuniones internas, use la oficina de alguien más. Si ellos se están extendiendo mucho será más fácil para usted dar una excusa para escaparse de la oficina, que lograr que ellos se retiren.

Para lograr que la gente muy conversadora no esté largo rato en su oficina coloque un portafolio o papeles en la silla para las visitas.

Consejos para Ahorrar Tiempo

La demora consume tiempo y energía mental y es una seria distracción. Ser bueno consume más tiempo que ser honesto. Supere las llamadas difíciles, ya sean de negativas o de confrontación haciéndolas temprano en la mañana. Aparte de quitarse algo molesto de su espalda le hace sentir mejor.

Las decisiones dolorosas no se vuelven más fáciles con el tiempo. Acostúmbrese a decir no, cuando realmente lo que quiere decir es no y no diga tal vez.

Después de terminar una tarea difícil, prémiese con una taza de café o algo que le agrade o telefoneando a un amigo.

Siempre lleve un suministro pequeño de plumas, sobres, estampas y de papelería en su bolsa o en su carro para aquellos "tiempos muertos" gastados al estar sentado en los congestionamiento, o en la espera de algunas personas en el café, restaurantes, aeropuerto, terminales o en las áreas de recepción de las oficinas.

Siempre que tenga que salir lleve algún trabajo de lectura o escritura con usted, para esas ocasiones cuando recibe el regalo de tener un tiempo inesperado.

Procure lograr hacer dos cosas triviales a la vez. Vacíe la basura de la caja mientras espera ser comunicado con alguien en el teléfono, rotule sobres con las direcciones que necesita, haga todo lo que es legal y seguro de hacer mientras maneja (inclusive escuchar una cinta de idiomas, o una de *Cómo Hacer* o sobre algún libro) o repase su lista de acción para el día, o bien, escriba notas para sus amigos.

No ande a las carreras, (y como resultado tenga que dejar algo importante). Tenga suministros de emergencia, como algunas tarjetas de cumpleaños, agradecimiento, buenos deseos etc., los equipos de reparación de costura, las píldoras del resfriado y del dolor de cabeza, en un cajón designado.

Guarde una cierta cantidad de las cosas anteriormente mencionadas en su automóvil también.

Escriba a mano en lugar de teclear cartas o notas, es más apropiado para las felicitaciones, los agradecimientos, o simpatías o para cartas personales y pueden ahorrarle tiempo. Si usted tiene que procesar mucha documentación regularmente, considere hacer un curso de lectura veloz.

Tenga un cajón de regalos en casa para la llegada de nuevos bebés, cumpleaños, emergencias, para cuando se le olvide comprar un regalo, o necesite agradecer con un presente.

Vaya *contra* la corriente, si usted encuentra colas de espera estresantes. Por ejemplo, vaya a trabajar cuando las personas estén durmiendo, y regrese a casa cuando ellos ya hayan regresado, o todavía estén en el trabajo. Haga sus compras cuando no sean horas pico. Vaya al banco o al correo, cuando las colas son más cortas o no haya ninguna. Vaya al supermercado a las 8:30 de la mañana, o ya tarde en la noche. Además de salir de los lugares más rápidamente hay más oportunidades de que lo atiendan mejor.

Tome sus vacaciones fuera de las temporadas altas, no solamente le resultará más barato sino que también tendrá un trato más amable.

En donde los servicios son iguales, como las tintorerías, los videoclubes, gimnasios, salones de belleza y bancos, vaya a donde pueda estacionarse afuera (en camino de ida o vuelta a su trabajo). Guarde alguna clase de relación geográfica con todos los servicios que usa regularmente.

Nunca vaya de compras sin una lista. Los comestibles, agrúpelos en categorías lógicas, para que usted no gaste tiempo cruzando el supermercado.

Lleve las muestras del color de los vestidos, las medidas de los muebles de la casa, las tallas del esposo y los hijos para esas ocasiones cuando usted descubre algo inesperado.

Guarde estos detalles en la sección de las *Notas* de su diario. No se olvide de llevar esta información con usted cuando viaja también.

Limpie el desorden de los armarios, los cajones, el garage, los archivos de la computadora, las bolsas, las carteras, regularmente. Esto le ahorra tiempo cuando anda buscando una carta o un documento. Use el tiempo improductivo para estas tareas.

Aplique la misma limpieza en los armarios. Agrupe la ropa por tipos iguales. Asegúrese que pueda encontrar las cosas rápidamente. Siempre tenga listo un traje y sus accesorios para una cita inesperada con un cliente, un viaje de negocios o un encuentro social importante.

Finalmente, limpie su escritorio de trabajo aunque sea por la noche. Es desmoralizante empezar el día con un trabajo sin terminar del día anterior.

Viajando

La aerolínea de antemano le designa los asientos (si usted viaja en primera clase). Si es un viajero regular, esto le reduce el estrés y le ahorra el tiempo de documentar en el escritorio. Planee todas sus reuniones geográficamente. Sea realista con el cálculo del tiempo de una acción a otra, de no ser así usted se arriesga a que se le vayan acumulando los retrasos y llegue tarde a una serie de citas.

En los vuelos de larga distancia, cuando aborde el avión cambie la hora del reloj por la del lugar de su destino. Después acomode su comida, su lectura y su sueño según su reloj. Si tiene una reunión importante al final de un vuelo, empaque un cambio de repuesto de la ropa interior, camisa o blusa y artículos de limpieza en la bolsa o maleta de mano. Dicha previsión puede ser de gran ayuda para relevarlo del estrés si su equipaje es desviado.

Si viaja mucho, ahorre no llevando peso innecesario y tenga siempre listo un pequeño maletín con artículos personales. Use las botellas plásticas con cantidades pequeñas de artículos de limpieza, champú, acondicionadores, las medicinas, las vitaminas y cualquier cosa que usted necesite.

Si el viaje no es parte de su rutina regular, guarde una lista de control del viaje comprensivo en su diario.

Capítulo 8
Ejercicio

Según Michael Hughes, psicólogo californiano y entrenador en control del estrés, el desgaste en nuestro cuerpos causado por los trabajos sedentarios en la oficina típica, raramente son considerados como estresantes, pero pueden, de hecho, serlo.

Incluso el acto de hablar aumenta la presión de la sangre, y puede sobrecargar tanto el sistema cardiovascular como la garganta. Estar sentado por periodos largos de tiempo pueden debilitar y pueden tensar los músculos y las articulaciones a lo largo del cuerpo. Cambiar de trabajo puede contribuir a las frustraciones físicas, y trabajar más de ocho horas al día, significa que se necesita más tiempo para recuperarse.

Michael Hughes dice que a menudo se subestima y por lo tanto, no se busca remedio para este tipo de estrés sedentario — o de hecho, cualquier estrés — el ejercicio aeróbico regular, es bueno porque:

- elimina los residuos de químicos del estrés en el cuerpo
- incrementa la eficacia metabólica
- incrementa el flujo de oxígeno

◆ fortalece los músculos

Algunas investigaciones indican que las personas que tienen buena salud puede ser físicamente menos reactivos en ciertas situaciones estresantes, y tienen un tiempo de recuperación más corto.

Las Respuestas del Cuerpo al Estrés

El cuerpo responde a las situaciones estresantes liberando hormonas en el torrente sanguíneo. Como ya fue descrito anteriormente en este libro, si la liberación es severa y permanece por un periodo suficientemente largo, estas hormonas pueden destruir el tracto digestivo y los pulmones, provocando un cierto tipo de úlcera o asma.

Aún si está expuesto por corto tiempo al estrés quedará una huella de los químicos liberados. Las hormonas pueden persistir en el tejido muscular por largo tiempo después de una situación estresante, como podría ser una llamada telefónica irritante, una discusión con un familiar durante el desayuno, o un altercado con otro chofer mientras manejaba.

Una vez excitado el cuerpo permanece en estado de sobrealerta (semiexcitado), tanto como sea requerido por su sistema automático. Si no se hace un intento deliberado de eliminar la adrenalina haciendo una combinación de aerobics alternado con relajación progresiva, respiración profunda, meditación o ejercicio, la adrenalina va a persistir.

El prolongado efecto de la adrenalina resulta en irritabilidad, dificultad para concentrarse y conciliar el sueño, finalmente un bajo rendimiento en todas las áreas. Las personas con estrés y niveles altos de excitación que no realizan un ejercicio aeróbico regular guardan ese estrés y los residuos químicos en sus cuerpos hasta que desaparezca o se derive en una enfermedad.

Los Beneficios del Ejercicio Aeróbico

El ejercicio aeróbico es la forma más eficiente y efectiva de eliminar los residuos del sistema y aliviar la tensión muscular. Esta es la razón por la cual es el mejor antídoto para terminar con el estrés a corto y a largo plazo.

Otra razón como poderosa arma contra el estrés es que aún un moderado ejercicio resulta un escudo para el cerebro y las funciones del cuerpo. El cuerpo es primero que nada un amortiguador. El ejercicio afecta la eficiencia del funcionamiento mejorando el metabolismo, incrementando el vital flujo de nutrientes a través del cuerpo aumentando el oxígeno en el cerebro y alterando positivamente el ánimo.

También ayuda a reducir la depresión y contribuye a la pérdida de peso, los otros beneficios específicos del ejercicio regular aeróbico incluyen:

◆ ayuda a bajar la presión arterial
◆ incrementa el adecuado funcionamiento cardiovascular

- ◆ mejora la condición muscular
- ◆ estimula la liberación de endorfinas, que son las hormonas cerebrales del placer, por lo tanto, es el factor para sentirse bien

El ejercicio regular incrementa la energía y el vigor, mejora la concentración, la productividad, la memoria y todo el funcionamiento mental. Es una manera perfecta de preparar al cuerpo para actuar contra el estrés, hace la vida diaria un poco más fácil. Los individuos adaptados al ejercicio aeróbico mejoran su autoestima y tienden a dormir mejor.

Para calificar como apropiado un ejercicio aeróbico, el corazón debe bombear entre sesenta y setenta y cinco por ciento de su máxima velocidad durante un período sin interrupciones de por lo menos de veinte a treinta minutos. De tres a cuatro veces por semana. Dependiendo del individuo le tomará de unos pocos minutos a un tiempo más largo el llegar a alcanzar su máxima velocidad, esto se debe tomar en cuanta para determinar la duración de los ejercicios.

Fórmula para Calcular la Velocidad del Corazón

Tome el número 220 y réstele su edad. Multiplique este resultado por sesenta por ciento y también por setenta y cinco por ciento respectivamente. Por ejemplo, si tu edad son treinta años, la fórmula deberá ser:

- ◆ 220-30 = 190 multiplicado por 60% = 114 velocidad cardiaca de entrenamiento

◆ 190 multiplicado por 75% = 142 velocidad cardiaca de entrenamiento

Durante el tiempo requerido de ejercicio de 20 a 30 minutos la velocidad cardiaca deberá estar entre 114 y 142 latidos por minuto.

Sin embargo, si usted está obeso (un quinto sobre tu peso ideal) o tiene algún problema médico y está tomando medicamentos regularmente, debe consultar con su médico antes de imponerse usted mismo un régimen de ejercicio aeróbico.

Algunos Consejos Adicionales

Olvide el concepto del ejercicio que existía en los 80 "si no hay dolor no hay resultados" ya que esto es parcialmente cierto para algunos aspectos del entrenamiento pero no es necesariamente saludable, pudiendo ser hasta peligroso.

Si su rutina ha sido sedentaria por largo tiempo, es muy probable que esté fuera de condición y si además ya rebasa los 35 años, tiene que consultar con un médico o hacerse un chequeo si aparece cualquiera de los síntomas siguientes:

◆ mareos o náuseas

◆ cansancio que persiste bastante después del período del ejercicio

◆ sensación de opresión, tensión, o dolor en el pecho, hombros, bazos o cuello

◆ tomar más de quince minutos después del ejercicio al ritmo cardiaco en volver a la normalidad

- cuando durante el ejercicio exista irregularidad en el ritmo cardiaco o pequeños saltos en los latidos del corazón
- severa falta de respiración después de un ejercicio aunque éste haya sido moderado

Si ha evadido el ejercicio por largo tiempo es recomendable empezar haciendo caminatas de quince minutos diarios durante dos o tres semanas, antes de realizar algo más extenuante.

Seguir posteriormente con una rutina de estiramiento, la cual debe continuar cuando empiece con el ejercicio aeróbico.

La mayor parte de las lesiones en el ejercicio suceden por la precipitación y el esfuerzo durante los períodos de aprendizaje.

Así que si siente dolor es mejor detenerse y descansar por algunos días o más tiempo.

Antes de empezar y terminar el ejercicio debe haber un período de calentamiento y de enfriamiento, con duración de cinco minutos por lo menos.

Recuerde que ejercitar cinco veces a la semana es óptimo, pero si ejercita los siete días no le está dando al cuerpo tiempo de recuperar energía y vigor. La gente que se sobreejercita está tan propensa a las lesiones y a las enfermedades como aquel que no hace ejercicio.

Adicionalmente al propio programa de ejercicios que combina el entrenamiento aeróbico con uno de flexibilidad, lo debe dejar sintiéndose energético y listo para enfrentarse al estrés diario.

Ejercicios para Enfrentarse al Estrés

El ejercicio que es relativamente confortable, conveniente y no competitivo es el más relajante, y tiene una particular importancia en el contexto del manejo del estrés. Ustede deberá elegir, de ser posible, alguno en el que se utilice todo su cuerpo. Los más adecuados en términos de generar resistencia aeróbica y mantener el cuerpo en buenas condiciones son:

- clases de aeróbics o aquaeróbics
- bicicleta (ya sea estacionaria o saliendo a andar en ella)
- baile (de cualquier tipo es bueno)
- ejercitarse en el gimnasio
- patinar en ruedas
- remar (puede ser en el equipo del gimnasio)
- correr
- nadar
- esquiar
- caminar (de preferencia caminata de poder)

Los deportes hechos en el jardín que no son en el ámbito competitivo y que tienen un movimiento para empezar y terminar, no son tan efectivos para lograr acondicionamiento aeróbico. Deportes como el futbol, el squash, el tenis y el golf no necesariamente mantienen el latido cardiaco a los niveles requeridos. Pero estar generalmente activo ayuda a conservar la salud.

Por Dónde Empezar

Si todavía no está plenamente comprometida con la idea de lo beneficioso que resulta para su salud el hacer ejercicio diariamente, lo más probable es que su motivación sea una inspiración o una depresión. Pero si mantiene esa motivacion podría ser la clave para que se adhiera a un plan de ejercicios.

Es muy importante tener un principio exitoso. Cómprese ropa y zapatos cómodos. Infórmese en las albercas y gimnasios, programe un periodo corto de ejercicios en su diario o compre una bicicleta no muy cara para que realice ejercicios mientras ve la televisión o lee el periódico.

Si encuentra alguien más con quien ejercitar es una forma de asegurar su permanencia. Seleccione algo que le sea agradable, también ayuda. Pero si tiene que hacer ejercicio solo, por motivos de logística o tiempo o cualquier otra razón, le puede funcionar si se compromete. Si odia la música que se acostumbra en los gimnasios, por qué no lleva su grabadora para escuchar una cinta de un libro cassette, o un cassette de idiomas, o de música clásica. Podría ser que al estar tan abstraído escuchando la cinta realizara algo difícil que usted mismo no creía que pudiera hacer.

Si ejercitar en el gimnasio o hacer aerobics no lo convencen, no abandone la idea de practicar ambas. Mientras menos efectiva sea la forma de asistir y realizar ejercicios aeróbicos, más pierde la oportunidad de obtener relajación, recreación y los otros beneficios que lograría estando activo en el ejercicio. Ejercitar en el jardín, caminar o participar esporádicamente en un juego de tenis o golf, le producirán algunos beneficios, pero no la vacuna de salud que lograría al realizar ejercicios aeróbicos regularmente.

Capítulo 9
Nutrición y Dieta

Tener una buena dieta y nutrición no son suficientes por sí mismas contra los efectos del estrés, pero si juegan un papel muy importante en el mantenimiento de la salud. Mantener un buen nivel de energía a través del día, y un peso adecuado, forma parte de la ecuación entre el control del estrés y la salud total.

Expertos en dietas de los Estados Unidos han definido que un balance óptimo para la salud debe de provenir de una combinación de un número específico de raciones diarias de los seis grupos de comida. Los grupos son los siguientes:

◆ pan, cereal, arroz, pastas, papas (6-11 porciones)

◆ grasas, azúcares y dulces (esporádicamente)

◆ frutas (2-4 porciones)

◆ leche, yogurt, quesos (2-3 porciones)

◆ res, puerco, pescado, frijoles secos, huevos y nueces (2-3 porciones)

◆ vegetales (3-5 porciones)

El Dr. Michael Gibney, Profesor del Departamento de Nutrición de la Clínica de Medicina, de la Universidad

Trinity de Dublín, está de acuerdo con el principio fundamental de este régimen alimenticio, solamente difiere en dos puntos menores.

El primero es el que se especifiquen números de porciones, el Profesor Gibney dice que la mayor parte de la gente encuentra difícil hacer un número específico de ellas.

El segundo punto en que difiere es que el azúcar debe tomarse esporádicamente. El punto de vista personal del Dr. Gibney al respecto es que los presentes niveles de consumo de azúcar en la actualidad no están implicados en enfermedades crónicas, entonces sugiere que si se restringe el consumo del azúcar estaremos lidiando con dietas altas en grasas (ya que dietéticamente la energía de la grasa es inversamente relacionada a la del azúcar). Si se baja ésta última se tiene que subir la primera, lo cual no es una estrategia sabia.

¿Qué Hace que una Dieta Sea Sana?

Una dieta sana debe de estar compuesta predominantemente de carbohidratos complejos como las pastas, las papas, arroz, frijoles y cereales. La evidencia ahora es que la gente no debe de contar las calorías (y por lo tanto, reducir carbohidratos y azúcares), pero sí monitorear su ingesta de grasas y mantenerlas a lo mínimo.

El profesor Gibney dice que teniendo una dieta alta en carbohidratos pero baja en grasas reduce el riesgo de recuperar el peso perdido. Un malentendido es creer que la papas, las pastas y otros carbohidratos le hacen aumentar de peso. Esto no es así, ya que los carbohidratos no son convertidos en grasas en el cuerpo. Se usan como combustible que el cuerpo quema al gastar energía. Pero la grasa sí se acumula en el cuerpo y es responsable del aumento de peso.

La dieta más efectiva resulta al cortar el consumo de grasas. Además, comer en exceso es más difícil con una dieta alta en carbohidratos, ya que éstos ocupan un volumen más grande y además tiene mayor efecto energético en el cerebro.

Él le agrega el consumo de frutas y vegetales que en los países del Norte de Europa es la mitad que en los países Mediterráneos, y mucha gente se puede beneficiar doblando su actual ingesta.

¿Por qué Hacer Ejercicio?

El ejercicio cardiovascular es muy importante, más allá que solamente para perder peso. El ejercicio como parte de perder peso, a menudo se ha sobreestimado.

Si se quiere perder peso es un buen consejo el practicar ejercicio, ya que hace que uno se sienta bien, pero no es la forma más eficiente de lograrlo.

La forma más eficiente es el cortar la ingesta de grasas severamente. Si usted corre adicionalmente 10 kilómetros a la semana, por ejemplo, está quemando 1,000 calorías que si las divide entre 7 días corresponde a quemar 142 calorías diarias, el equivalente a media bolsa de papitas. El perder peso no debe de ser el único motivo para hacer ejercicio.

Cuándo Comer

Parece ser que no hay desacuerdo entre expertos en la importancia que tiene el hacer un buen desayuno. Una combinación de cereal, leche descremada y azúcar da un total de 700 calorías que será algo muy adecuado cuando las prisas de la mañana no le permitan cocinar un desayuno con jugo y todo lo demás.

Después del desayuno, las teorías más nuevas dicen que es conveniente tomar varias pequeñas comidas durante el día. Una ventaja que tiene el comer más seguido porciones pequeñas, sobre el tradicional método de tres comidas importantes al día, es que la gente que realiza estas pequeñas comidas, tienden a bajar su colesterol en la sangre. Esto es debido al principio de que cada vez que comemos, ponemos a funcionar el hígado que degrada el colesterol. Obviamente, mientras más seguido comamos, más seguido echamos a andar el mecanismo.

En el contexto de un estilo de vida muy demandante y estresante, es muy importante mantener consistentemente la presión sanguínea y los niveles totales de energía uniformes. Esta es otra razón que permite se hagan pequeños vacíos entre comidas. Los huecos más grandes significan que no hay combustible o que hay poco, y por lo tanto, menos energía en los momentos de mayor ocupación, cuando se incrementan los requerimientos de los trabajos físicos o mentales.

Vitaminas, Minerales y Otros Suplementos

Si se hace una dieta balanceada no se necesita tomar suplementos o vitaminas.

Restringir la comida es un problema mayor entre las mujeres, en particular cuando el consumo de la comida se baja, la ingesta de nutrientes se reduce en la misma proporción. Muchas mujeres con carreras muy exitosas agravan este problema combinando un patrón de comida restringido con un exceso de ejercicio. Al hacer esto se ponen ellas mismas en un doble peligro de estresarse.

Estos son casos extremos, el profesor Gibney es generalmente precavido aconsejando a la gente con estilo de vida muy ocupado o estresante que tomen vitaminas y suplementos minerales. Él agrega que la vitamina C, por ejemplo, juega roles profilácticos en la cura de los resfriados comunes. Para las mujeres que encuadran en la clasificación de comida restringida y ejercicio excesivo es necesario el recomendarles suplementos vitamínicos y minerales.

Las adolescentes obesas y mujeres menores de treinta y cinco años, que restringen su consumo de productos lácteos, se están poniendo ellas mismas en riesgo de desarrollar una osteoporosis posteriormente. Como un resultado directo de la deficiencia de calcio ocasionado por su bajo consumo de productos lácteos, la osteoporosis es por ahora el mayor problema en las mujeres mayores. Consumir productos derivados de la leche es la mejor manera de obtener los requerimientos de calcio que necesita el cuerpo, pero se debe recomendar un suplemento cuando la ingesta de éstos es insuficiente. Y particularmente entre la gente que evita comer estos productos.

Restringir la comida también es responsable de la insuficiencia de hierro, esto afecta a un tercio de las mujeres, un porcentaje de las cuales están anémicas. Si una mujer se embaraza estando anémica es probable que tenga un niño con bajo peso al nacer. Algunos estudios muestran cómo el crecimiento de estos niños en el *útero*, por lo menos parcialmente, determina la incidencia de enfermedades del hígado, corazón y pulmones o en el desarrollo posterior de diabetes.

Otro punto de importancia en relación con la dieta y el embarazo es que las mujeres en edad reproductiva, y particularmente aquellas que están planeando embarazarse, deben de tomar ácido fólico (una de las vitaminas del complejo B) como un suplemento tomado rutinariamente. El ácido fólico juega un papel vital en el desarrollo del bulbo neural del bebé. La comida que sirve de fuente de esta vitamina necesita ser reforzada con un suplemento.

Si la dieta de la madre es deficiente en ácido fólico, las probabilidades de que dé a luz a un niño con espina dorsal bipartida se incrementan. Es por esta razón que se deben tomar suplementos de ácido fólico en el período periconceptual (antes y después de quedar embarazada). Desdichadamente, no obstante el hecho de que la espina dorsal bipartida representa un problema de salud muy importante, muchas mujeres no están en conocimiento de ello o simplemente prefieren ignorarlo.

Para los hombres, tomar ácido fólico también es importante si su ingesta en la comida es insuficiente. Además de los suplementos, también se encuentra en la mayoría de las frutas y verduras, en algunos cereales que vienen enriquecidos con él. Para la gente anciana que sufre de depresión y de una baja de esta vitamina se recomiendan las inyecciones de vitamina B12. La gente mayor de sesenta años tiene dificultad para absorberla, de aquí la necesidad del uso de suplementos.

También es muy importante el no excederse en el consumo diario de estas vitaminas y minerales. Consulte a su médico. Para mujeres embarazadas, que están dando leche materna, o que sufren de pérdidas importantes de sangre con la menstruación, es de especial importancia que chequen sus requerimientos de estas vitaminas y minerales con su médico.

Otras Recomendaciones Que Deben Hacerse y Evitarse

Beber mucha agua diariamente, de seis a ocho vasos es lo correcto, pero se podría necesitar más cuando está en entrenamiento excesivo, generalmente la regla es que si siente sed es que el cuerpo está deshidratado. Tome agua, no llegue a este extremo.

Como ya dijimos anteriormente la cafeína es un estimulante que incrementa los latidos cardiacos y debe, por lo tanto, ser evitada mientras está lidiando con una situación estresante. También tiene efectos diuréticos y puede hacer perder al cuerpo sus reservas de vitaminas B y C disueltas en el agua.

Porque el cuerpo no puede reconocer la diferencia entre un peligro real y uno imaginado, él siempre gasta energías en el problema que piensa es el más importante. Si un evento estresante sucede durante la comida, alguna discusión con un familiar, ruidos fuertes o escuchar noticias alarmantes, la energía y actividad en el intestino se hace lenta o se detiene del todo.

Si está estresado el alcohol es la última cosa que debe tomar para relajarse o descansar, el alcohol es estimulante no relajante. Y si además está teniendo problemas para conciliar el sueño, el alcohol le causará un doble problema. Como las píldoras para dormir, el alcohol deprime el sistema cerebral que controla el estado de vigilia, como un efecto raro se presenta un rebote que lo mantiene despierto. Esto ocasiona poco descanso y un sueño fragmentado. Además aumenta las posibilidades de despertar en medio de un sueño. El alcohol se metaboliza en un promedio de una bebida por hora, así que si bebe en la noche necesitará de un promedio de cuatro horas para metabolizar cuatro bebidas.

Tomar alcohol durante un vuelo es mala idea. El alcohol consumido a 30,000 pies de altura es de dos a tres veces más fuerte que al consumido en tierra. El alcohol también exacerba la deshidratación asociada con el vuelo.

Para las personas que no están estresadas la recomendación de los médicos es que los hombres no rebasen las 21 unidades y las mujeres las 14 unidades de alcohol a la semana. Una unidad es el equivalente a un vaso de vino o uno de cerveza (para mayor información de los efectos del alcohol consulte *Cómo entender el Sueño...*).

Capítulo 10
Medicación

De acuerdo con el psiquiatra consultor el Dr. Abbie Lane, los medicamentos solamente juegan una muy pequeña parte en el control del estrés. En realidad sólo se usan para aquellas personas que han desarrollado una depresión.

Muy pocos, más o menos el quince por ciento de las personas que sufren de estrés, desarrollan síntomas psicológicos o psiquiátricos serios como para necesitar ser medicamentados.

Las más comunes manifestaciones de depresión son los problemas con el dormir, el sentimiento de desesperanza, los pensamientos suicidas, la severa pérdida de apetito, con o sin pérdida de peso y la mala concentración. Si estos síntomas persisten por más de dos semanas, necesita ser atendido por un médico.

Los antidrepresivos, los betabloqueadores y las benzodiazepinas (tranquilizantes y píldoras para dormir) son los medicamentos usados más comúnmente. Puede ser que usted espere un antidepresivo que le ayude. a dormir bien durante meses, pero la máxima efectividad de las píldoras para dormir es de algunas *semanas* en lugar de meses. Juegan un importante papel en la ayuda de los desórdenes del sueño, pero no se deben prolongar.

Tranquilizantes

Las prácticas psiquiátricas modernas recomiendan limitarse en la prescripción de tranquilizantes (una de las dos mayores benzodiazepinas) para pacientes con muy severa y deshabilitante o incapacitarte reacción al estrés, porque los tranquilizantes son adictivos.

Los betabloqueadores que reducen de manera significativa los niveles de estrés, pueden ser útiles en situaciones especiales, como para ayudar a alguien a aumentar su desempeño, o anticiparse a eventos traumáticos.

No son adictivos, actúan rápidamente y son relativamente baratos. Pero hay que tener cuidado, pueden causar mareos y bajar la presión por su impacto en la función cardiaca.

Antidepresivos

Los medicamentos más apropiados para las personas que sufren esos sentimientos debilitantes de crisis, como la desesperanza, los deseos suicidas y de dificultades en el sueño pertenece al grupo de los antidepresivos (Tricyclic o alguno del grupo SSRI).

La mayoría de los antidepresivos tardan de dos a cuatro semanas en surtir efecto. Muchos tienen un compuesto ansiolítico (reduce la ansiedad y relaja los músculos) y no son adictivos. Su uso y duración pueden ser por períodos largos de tiempo. Debe ser prescrito por un médico, de acuerdo con las necesidades y la tolerancia individual de la persona. Generalmente se tiene que ir disminuyendo paulatinamente, en lugar de que sea suspendida abruptamente.

La mayoría de los antidepresivos tienen algunos efectos colaterales que pueden ir desde: la boca seca, constipación, problemas urinarios (en los hombres que tienen problemas en la próstata), náuseas, vista borrosa intermitente, somnolencia durante el día, inquietud o excitabilidad.

Estas son simplemente pautas difíciles, porque las reacciones individuales varían enormemente, pudiendo ser desde no haber reacción en una persona que se le ha dado una dosis muy fuerte, hasta las reacciones debilitantes de una persona a la cual se le administró una dosis muy pequeña. También se debe ser cauteloso al ingerir bebidas alcohólicas, al manejar autos y operar maquinarias. El doctor le debe dar las pautas para esto.

Los medicamentos del SSRI tienen pocos efectos colaterales y son menos sedativos, pero son más caros que los tricyclics. También son estimulantes y pueden incrementar los problemas del sueño.

Por esta razón no resulta recomendable para ser usados por pacientes con depresión en donde los problemas del sueño están presentes.

Lo más común que sucede es que los pacientes sufren de una combinación de depresión conjuntamente con problemas del sueño. Por lo cual pueden ser prescritos con una combinación de antidepresivos y píldoras para dormir.

Un Mundo de Precauciones con las Píldoras para Dormir

1   No hay tal cosa de que exista una pastilla ideal para dormir. La misma medicina puede producir reacciones completamente diferentes en varias personas.

2   Aunque pueden ser descritas como de seis horas de acción o que le dan seis horas de sueño, para una persona pueden ser tres horas, para otra una y para otra diez, todo depende de su edad y estado general de salud.

3   Como ya se mencionó anteriormente, son solamente una solución temporal, quizás por espacio de tres semanas, dependiendo de la frecuencia con que cada persona las tome (todas las noches, cada segunda noche, o cada tercera noche). Si la toma diariamente deja de ser efectiva más rápidamente.

4   Como son físicas y psicológicamente adictivas, es difícil para retirárseles a las personas, por lo tanto, es mejor no empezar.

5   El efecto de algunas pastillas para dormir dura en el sistema alrededor de 24 horas y pueden afectar algunas funciones del sistema psicomotor, tales como el manejar un auto u operar alguna maquinaria. Adicionalmente su efecto en la memoria reciente puede ser terrible.

Capítulo 11
Terapias Alternativas

Aromaterapia

La aromaterapia es una excelente forma de combatir el estrés y sus síntomas aunque, obviamente, solamente un cambio de estilo de vida y de actitud mental puede actualmente eliminar la causa.

El estrés muy a menudo incrementa la necesidad de fumar, comer o no comer, beber alcohol y quizás tomar medicamentos. Estas serían solamente ayudas temporales, ya que su abuso se convierte en un hábito difícil de romper.

De acuerdo con Shirley Price, autora de seis libros de aromaterapia y que es reconocida como una de las principales expertas mundiales en la materia, el uso regular de ciertos aceites esenciales pueden ayudar a disminuir el deseo por las llamadas cosas confortables, proporcionándoles verdadero confort a quien está bajo estrés. Pueden ser usadas de muchas maneras diferentes, aún cuando el estrés no sea muy importante, pues es un método muy práctico de mantener la salud y la vitalidad.

Shirley Price agrega que, contrariamente a la creencia popular, el masaje no es necesario ni parte integral de la aromaterapia, no obstante, el masaje por sí solo puede aliviar el estrés. Los aceites de esencias pueden ser usados efectivamente de muchas otras formas para aliviar los efectos físicos y psicológicos del estrés. Por ejemplo:

◆ En situaciones estresantes tales como antes de una entrevista de trabajo, o inmediatamente después de recibir una mala noticia, la inhalación es más efectiva, (simplemente ponga de seis a ocho gotas en un pañuelo e inhale profundamente).

◆ En las situaciones en que el estrés es prolongado, una combinación de inhalaciones y baños aromáticos deben de funcionar. También se recomienda agregar de seis a ocho gotas de una combinación de dos o tres diferentes aceites al baño y asegurarse de que estén bien dispersos en el agua.

◆ Si tiene una pareja o un aromaterapista calificado pueden darle un masaje en el cuello y los hombros, esto sería ideal, pero si no es posible, aplique aceites de esencias en su cuello y hombros, y también le funcionará bien para ese estrés prolongado. Puede preparar una pequeña cantidad agregando cuatro gotas de aceite de esencias diluida en dos cucharitas de una loción no grasosa, o de aceite vegetal.

El estrés siempre perjudica el patrón del sueño, así pues, reduciéndose el estrés automáticamente se debe de dormir mejor. En estos casos tome un baño de diez minutos agregándole aceites especiales, inhale aceites de un pañuelo o vaporizador por lo menos media hora antes de ir a la cama, posteriormente, aplique la misma mezcla de aceites en los hombros y en la espalda antes de retirarse.

El usar un vaporizador es importante. Pero si no tiene uno a la mano ponga doce gotas de aceite de esencias en un pequeño recipiente con agua, déjelo en la oficina o en el cuarto de la casa en donde usted pase más tiempo. Aunque esto sería realmente efectivo si lo coloca en un lugar tibio, ya sea una ventana asoleada o en el calentador, otra alternativa es poner unas gotas en el pañuelo y colocarlo en una bolsa de la camisa. De esta manera el calor de su cuerpo vaporiza el aceite y éste llega hasta su nariz. El más efectivo de todos es un difusor de vidrio, sin embargo es difícil de encontrar.

Cuando hay estrés, las áreas del cuello y hombros tienden a estar muy tensas. Esto es debido a que el estrés sobreestimula el sistema nervioso simpático con lo cual forza a los músculos a estar tensos. Usando una combinación de masajes y aceites de esencias el sistema nervioso parasimpático puede regresar a la normalidad.

Los seis pasos para el automasaje son los siguientes:

1   Frote firmemente su hombro izquierdo con movimientos circulares con la mano derecha abierta, la mano debe de estar puesta relajadamente sobre el hombro.

2   Presione con los dedos los músculos tensos, en y detrás de los hombros. El área que está tensa seguramente le produce dolor, así que será fácil de localizar. Haga pequeños círculos firmes en las áreas dolorosas.

3   Repita el frotamiento firmemente sobre todo el hombro.

4   Suba la mano por el cuello haciendo movimientos circulares con los dedos y termine a un lado de las orejas.

5   Repita el punto uno nuevamente.

6   Repita toda la secuencia, pero ésta vez con la mano izquierda en el hombro derecho.

Shirley Price enfatiza varios puntos con respecto al uso de aceites esenciales. Primero se debe de entender que no son aceites en el sentido convencional, aunque no se disuelven fácilmente en el agua. Mejor dicho, son esencias destiladas de flores, hojas, cortezas, resinas o gomas.

Se emplea una cantidad muy grande del material para elaborar el producto terminado. Por ejemplo, se lleva de 150 a 200 kilos de lavanda para producir alrededor de un litro de aceite esencial, la misma cantidad de la flor de naranjo nos producirá alrededor de 20 ml. de nerolí. Todos los aceites esenciales son por lo tanto muy potentes. Y se deben manejar con cuidado.

La aromaterapia es un proceso muy personalizado. Puesto que en algunas pieles se puede llevar algunos minutos para penetrarse, en otras se puede llevar de media hasta doce horas para que los aceites alcancen a penetrar a los órganos a través de la sangre y del sistema linfático, dependiendo de cada individuo.

Si se está embarazada algunos aceites pueden estar contraindicados, mejor busque el consejo de un aromaterapista calificado. Las personas epilépticas deben evitar el usar ciertas esencias.

Procure comprar siempre solamente aceites de calidad, y entérese si ya están o no diluidas en una base de aceite. Si ya están disueltas, pueden ser aplicadas directamente a la piel. Sin embargo, no son apropiadas para usarse en el vaporizador o en un pañuelo. Para usarse en el baño se necesitará la mitad del contenido de una botella de 10 ml. para crear el efecto equivalente de seis a ocho gotas de un aceite esencial. Cuando mezcle sus propios aceites para aplicar o dar masaje, va a necesitar dieciséis gotas en 50 ml. de aceite vegetal o loción blanca como base.

Debido a que la aromaterapia es altamente individualizada un aceite puede crear un efecto relajante en una persona y estimulante en otra, por esta razón es mejor combinar dos o tres aceites a la vez.

Después de haber recibido un masaje con aromaterapia no debe bañarse por lo menos durante tres o cuatro horas después del tratamiento, para asegurarse de que sea plenamente absorbido.

La siguiente es la lista de aceites que Shirley Price recomienda para contrarrestar los síntomas del estrés. Use dos o tres de la lista para combatir cualquier síntoma particular. Si padece más de un síntoma encuentre los aceites especiales para ellos. Por ejemplo, para irritabilidad, tensión muscular e insomnio, los aceites comunes son mejorana y enebro. Si es tensión muscular y/o insomnio los síntomas importantes, se le pueden agregar lavanda, o cualquier otra esencia de la sección de irritabilidad, si éste es el síntoma importante.

- ciprés, geranio, enebro, mandarina, mejorana dulce y naranja agria para la *irritabilidad*
- geranio, mejorana dulce, melisa verdadera, nerolí, pachulí, grano pequeño, palo de rosa, para *inestabilidad emocional*
- camomila romana, enebro, lavanda y mejorana dulce, para la *tensión muscular* en varias partes del cuerpo, pero principalmente en el cuello y los hombros.
- camomila romana, ciprés, enebro, lavanda, mejorana dulce, melisa verdadera, aceite de rosas, sándalo, ylang ylang, para el *insomnio*.
- camomila romana, eucalipto, smithii, lavanda, mejorana dulce, hierbabuena, romero, para *dolores de cabeza* y *migrañas*.
- limón, hierbabuena, romero, para la *dificultad de concentración*.
- pimienta negra, camomila romana, alcaravea, jengibre, mandarina, hierbabuena y sándalo para las *náuseas* e *indigestión*.

Medicina Herbal

De acuerdo con las bases de la doctora herbolaria de Dublín, Helen McCormack, ciertas hierbas ayudan a aumentar la tolerancia al estrés, mientras otras reducen la tensión nerviosa y física. No obstante ser tan útiles, ella raramente las prescribe aisladamente. Siempre los acompaña con consejos para adoptar un estilo y hábitos de vida más sanos, con específicas directivas en sus dietas, ejercicio, yoga y otras técnicas de relajación.

La herbolaria como un arma y escudo poderoso en la batalla contra el estrés incluye: borraja, camomila, damiana, ginseng, lúpulo, agripalma, avena, ginseng de Siberia, escutelaria, hierba de San Juan, valeriana, verbena, betónica. Todas ellas son consideradas excelentes para el sistema nervioso y tienen usos tera-péuticos múltiples. Algunas (valeriana, la hierba de San Juan y la escutelaria) tienen efectos calmantes y son muy útiles para aquellos que sufren de ansiedad y tensión. Ellas pueden combinar bien con la pasionaria, si es que el estrés trae consigo problemas en el sueño.

La *avena* es un tónico excelente para restaurar el sistema nervioso, y está indicada para personas que sufren de nervios extenuantes.

La *agripalma* es muy buena contra la excitabilidad de los nervios y como su nombre lo indica es buena para mujeres que puedan estar experimentando ansiedad o depresión como resultado de su variación hormonal por la menstruación o por la menopausia. También ayuda a remediar las palpitaciones de origen nervioso.

La *verbena* tiene acción antiespasmódica y remedia la tensión muscular. Tiene efectos muy beneficiosos en el hígado y los riñones y actúa como tónico general.

La *damiana* actúa como un tónico estimulante para el sistema nervioso y puede remediar los estados depre-sivos y de ansiedad. Esta hierba tiene una reputación especial en el tratamiento de estados de ansiedad con un componente sexual.

El *ginseng* y el *ginseng de Siberia*, ambas tienen una reputación en el combate del estrés. Se considera que tiene una acción de adaptar. En otras palabras ayudan al cuerpo a adaptarse a las demandas a que se enfrenta, mediante el aumento de su capacidad mental y esfuerzo físico. Ayuda a la concentración, eleva el sistema inmune, acrecienta su poder de recuperación.

El ginseng de Siberia tiene una acción similar al mejor conocido *panax ginseng*, de hecho, es más estimulante y tiene una excelente reputación para mejorar la energía y la vitalidad.

Algunas personas consideran a varias formas de ginseng como suplemento diario de la dieta. Pero Helen McCormack recomienda que su consumo se limite a periodos de dos a cuatro semanas solamente y que se evite el café cuando se está tomando éste.

Se cree que la *borraja* ayuda a las glándulas suprarrenales y es recomendada a menudo para gente que ha estado en terapia de esteroides. Ayuda a remediar la depresión y fortalece el espíritu.

La *valeriana* posee una acción excelente como tranquilizante cuando no está deteriorada la función mental o física. Es calmante sin ser notablemente sedativa. Es excelente para los estados de ansiedad y las condiciones causadas por la tensión nerviosa.

La *escutelaria* y la *betónica* se prescriben para aquellas personas que sufren de dolores de cabeza por la tensión.

El estrés prolongado puede causar estragos en el sistema digestivo, y los médicos herbolarios probablemente van a escoger prescribir dentro de un rango de hierbas. La *camomila* es escogida muy a menudo por sus efectos calmantes y sus propiedades antiespasmódicas porque ayuda a la digestión y previene la irritación. La *hierbabuena* es excelente para los cólicos.

El *lúpulo* es bueno para los nervios, malestares estomacales, tales como la diarrea relacionada con la ansiedad, la dilatación de los intestinos, y el insomnio. El lúpulo también calma el movimiento intestinal aumentado. Está contraindicado en casos de depresión y para aquellos que tienen un historial con depresiones.

Los carminativos incluyen anís, alcaravea, hinojo, angélica y el bálsamo de limón, pues ayudan a eliminar la flatulencia y el malestar.

La hierba *equinacea angustifolia* y *e. purpúrea* siempre se han distinguido por su reputación de aumentar la resistencia natural del cuerpo a las infecciones. Cuando el organismo está bajo estrés, se forza el sistema inmunológico y las infecciones tienden a aumentar. La Equinacea tiene un efecto positivo en las defensas del cuerpo contra las infecciones virales y bacterianas.

Mientras la Equinacea es usada contra muchos tipos de infección, tanto virales como bacterianas, mucha gente tiende a usarla en su diaria profilaxis. Sin embargo, esto puede hacer que disminuya su eficiencia, solamente se debe tomar la Equinacea cuando el organismo está empezando una batalla contra una infección o durante algunos periodos particulares de estrés. También es buena idea tomarlo por un par de semanas cuando se acerca el invierno, con el propósito de fortalecer el sistema inmune.

Helen McCormack agrega una nota de advertencia sobre la automedicación sin un detallado conocimiento sobre la Equinacea.

La mayoría de los remedios herbolarios listados aquí son fáciles de encontrar en las farmacias o en tiendas para la salud. Muchos pueden sonar familiares para aquellos que saben un poco del uso de las hierbas en la cocina. Como resultado de ésta familiaridad existe el peligro, ya que no se percibe que pueden ser muy dañinas. Por el contrario: muchas de ellas son muy *potentes*.

Aproximadamente un treinta por ciento de las preparaciones farmacéuticas derivan de las plantas, sin embargo, los remedios herbolarios no son tomados con la misma precaución y respeto que se le ha otorgado a los medicamentos. Tomar uno de los remedios listados aquí como si fuera un suplemento diario de la dieta, como si fueran cápsulas de aceite de hígado, resulta más que tonto. Quiero decir que la automedicación con remedios herbolarios es buena siempre y cuando usted sepa lo que está haciendo. Sin embargo deben ser tratados como cualquier otro medicamento, y siempre es buena idea seguir el consejo de un médico herbolario calificado antes de embarcarse en un tratamiento.

Hacer una infusión o té de hierbas es la manera más fácil de tomar medicina herbolaria. Por regla general la dosis es agregar una generosa cucharada a una taza de agua hirviendo. Muchos médicos herbolarios recomiendan que sea más concentrada la tintura, solamente por conveniencia. La mayoría prescribirán una combinación de hierbas que tendrán una acción sinergética complementaria.

Capítulo 12
Técnicas para Manejar el Estrés

El ABC del Método de Relajación

El Dr. Tony Bates de la clínica psicológica recomienda a sus pacientes el método del ABC (Anatomy, Breathing, Calm) de la relajación del Dr. Herbert Benson, cuyos principios son los siguientes:

Anatomía

Empiece por tensar los músculos de los brazos por dos segundos, después deje caer los brazos y experimente la sensación relajante y caliente durante cuatro segundos. Continué con la misma secuencia tensando relajando, para los hombros y el cuello, siguiendo hacia abajo por todo el cuerpo, repitiendo el mismo procedimiento separadamente para el pecho, estómago, caderas y los miembros inferiores.

Habiendo hecho esto usted experimenta *algo* de relajación pero no una completa relajación de su cuerpo.

Respiración

Ahora empiece a fijar su atención en su respiración, en éste punto la idea no es cambiar su respiración de ninguna forma, ni aumentarla ni disminuirla, solamente observar su ritmo, y al hacerlo se dará cuenta que probablemente la esté bajando ligeramente. Mientras observa el ritmo, ponga particular atención al momento de exhalar, dándose cuenta de cómo exhala y de cómo cada momento que exhala, su cuerpo se relaja un poco más. Ahora usted se está sintiendo relajado y con una sensación de calor a través de todo su cuerpo. Enfocándose en su respiración y en el momento en que exhala el aire, su cuerpo se relaja un poco más.

Calma

Mientras se mantiene relajado con su cuerpo y el ritmo de su respiración, se permite a sí mismo relajarse un poco más cada vez que exhala, enfocando su atención en su mente. El Dr. Benson recomienda que encuentre un lugar en su mente para concentrarse en el que no sea fácilmente inquietado o distraído. Él sugiere usar la palabra "uno" o "calma" o alguna otra que tenga un significado religioso. Simplemente dígase esa palabra privada al momento de exhalar. Exhale mientras permite a su cuerpo relajarse, repitiendo en su mente la palabra que haya escogido.

Técnica Alexander

La técnica Alexander tiene una particular relevancia en el contexto del estilo de vida para el manejo efectivo del estrés. Aunque no se ha promovido como una terapia, no por eso es menos vista como un método terapéutico por sus diez mil practicantes a través del mundo. Sus mayores exponentes verbalmente tienden a ser artistas, bailarines y músicos. Ellos lo practican para mejorar sus movimientos y actuaciones.

Igualmente de entusiastas de la técnica Alexander lo son los hombres de negocios, los que toman las decisiones, los que dan las noticias, los periodistas, doctores, madres de familia y masajistas de terapia. Todos opinan que les ayuda a que su pensamiento se vuelva claro y calmado y sus movimientos libres y ligeros, dándoles más energía y vitalidad.

Incluyéndose entre estos están los que se benefician mayormente, que son la gente relacionada con el estrés o con un estrés inducido, como los que sufren de migraña, o que sufren repetidamente de lesiones o tensiones deportivas, y la mayoría de ellos sufren de problemas en la espalda. La técnica ésta de hecho respaldada por la Back Pain Association en Estados Unidos y en el Reino Unido.

Dentro del dominio psicológico los principales beneficiados son los que poseen personalidades del tipo A y la gente que sufre de ansiedad social con dificultades como el tartamudear y la timidez crónica.

¿Qué Es y Cómo Trabaja?

La técnica Alexander se volvió popular hace mil años y desde entonces ha estado y dejado de estar de moda. Actualmente existen 3,000 maestros en todo el mundo. Antes de estar calificados para practicar tienen que llevar una preparación de por lo menos 1,600 horas en entrenamiento formal e intensivo. En términos de duración e intensidad el entrenamiento está a la par de cualquier paramédico.

Es difícil describir y explicar cómo se enseña la técnica Alexander. Ésta es fundamentalmente una filosofía psicofísica, pero cualquier idea acerca de algo místico debe de ser descartada. La comprensión de la importancia de la relación entre la cabeza, el cuello y la espina dorsal es fundamental para el entendimiento de esta técnica. El proceso envuelve la redirección consciente de la actividad física y mental. No es manipulativa, sin embargo, en el estudio de la técnica Alexander los maestros simplemente le enseñan cómo desarrollar su conciencia y cómo reducir su esfuerzo en sus actividades diarias (tanto física como mentalmente), cómo reaccionar en situaciones no habituales y cómo dirigir su actividad de una manera nueva y mejor.

Cuando es practicada correctamente, las típicas respuestas fisiológicas al estrés se disminuyen.

Esto es de acuerdo con Mary Derbyshire, maestra norteamericana basada en la técnica Alexander:

Lo guían en sus movimientos básicos como son sentarse, pararse, caminar o acostarse.

Le demuestran a través de nuestras manos y enseñanza verbal, cómo habitualmente interfiere con su balance y equilibrio natural. Por medio de la conciencia de reintegración de la cabeza, el cuello y la columna reeducan íntegramente su sentido de movimiento estético. Con esta reeducación se obtiene un sentido profundo de agilidad, libertad y alternativas.

La técnica Alexander es un proceso del conocimiento. El mensaje más importante es *piensa más, has menos*. Puede describirse como la forma de prevenir la excesiva tensión muscular que se presenta como respuesta y la redirección de sus actividades en una forma profunda. Entre veinte y treinta sesiones con duración de entre veinte y treinta minutos con intervalos semanales se necesitan para aprender la técnica. No es necesario tener ni ropa ni equipo especial. Además, ni la edad, ni la falta de condición física o libertad de movimientos son impedimentos para las personas que quieran aprender-la. Solamente se necesita tener unos deseos de cambiar sus hábitos.

Una vez que se ha aprendido se necesitan en la práctica formal dos sesiones de veinte minutos al día, en los cuales la persona se acuesta en el suelo sin hacer nada. La práctica informal es continua, es decir, en el sentido de que la técnica penetra en cada aspecto de la vida diaria. Se incorpora dentro de las más mundanas actividades como manejar un carro, ver televisión, hacer una entrevista de trabajo, sentarse delante de la compu-tadora o en su escritorio de la oficina.

Durante una situación estresante se practica para corregir el detonador de sus respuestas fisiológicas. Conservando la cabeza, el cuello y los hombros en la correcta alineación, el cuerpo reacciona a las respuestas de luchar o huir, disminuyéndolas. El controlarse del todo es siempre mejor y si sucede más seguido será excelente.

Entrenamiento Autogénico

El entrenamiento autogénico es una de las más interesantes técnicas de control mente-cuerpo. Una de las cosas que lo hace tan interesante es que se encuentra entre dos muy diferentes roles, ya que mejora el comportamiento, así como reduce el estrés crónico.

Para las personas con personalidad del tipo A es particularmente apropiado, ya que es la técnica más efectiva y de fácil comprensión para lograr una profunda relajación. También los atletas, hombres de negocios, pilotos, escritores, diseñadores, músicos y doctores, lo usan para mejorar sus actuaciones e incrementar su rendimiento, agudizar su entendimiento y discernimiento. Le ayuda a algunas personas a volverse más decisivos y a resolver los problemas positivamente. También puede ayudar a otros a competir con aparentemente imposibles proezas físicas o mentales (a algunos deportistas sumidos en vicisitudes, dolor o cansancio, poniéndolos en las mejores condiciones).

Los doctores, enfermeras, policías, los chóferes de ambulancia, los trabajadores sociales, así como otros profesionales que están en constante contacto con el dolor humano, lo usan para poder seguir adelante sin perder la ecuanimidad. Los astronautas rusos y norteamericanos lo usan en los entrenamientos para regresar a la normalidad y ayudarse en la relajación.

¿Qué Es el Entrenamiento Autogénico?

Autogénico significa *generado dentro de*. La técnica consiste en una serie de ejercicios simples y fáciles de aprender. Estos ayudan al cuerpo a calmarse por sí mismo desconectándose de su sistema de estrés. Consta de tres pasos:

◆ concentración pasiva, permitiéndole a la mente tranquilamente enfocarse en el cuerpo

◆ con la repetición de ciertas frases que inducen a una sensación de calor y relajación

◆ coloca el cuerpo en una posición designada para minimizar las distracciones del mundo exterior

El entrenamiento autogénico no alivia rápidamente, aprenderlo requiere de paciencia y compromiso. Un curso toma entre ocho y diez semanas, con clases de una a una y media hora una vez a la semana. Después, lo que se necesita son diez minutos de práctica, tres veces al día. Aunque sólo pudiera hacerla una vez al día sería de gran ayuda.

El entrenamiento autogénico esta probado contra idiotas. En donde está presente el reto es en tener la disciplina de practicarlo tres veces al día. Para mucha gente el vencer un obstáculo de hacer algo para ellos mismos frecuentemente es una fantástica disciplina, y por sí misma detiene un poco la carrera diaria.

El entrenamiento autogénico *no* es una meditación, como se confunde muy a menudo. La diferencia es que éste induce un proceso específico de normalidad en el cuerpo-mente, en lugar de tratar de trascenderlo como es el caso de la meditación.

Todo el tiempo en que esté entrenando autogénicamente, usted está completamente consciente.

Esencialmente es una forma de autoregulación usado para entrar en profunda relajación y aliviar los efectos negativos del estrés.

Pudiera alterar la personalidad, pero para mejorarla. Por ejemplo, da lugar a que se produzca la libre creatividad y mayor elasticidad emocional.

Otro de sus mayores beneficios se encuentra en que reduce la ansiedad. Esto se observa cuando está activo ocho meses después de haber terminado el curso.

¿Quién se puede Beneficiar?

La autogénica es particularmente útil para aquellas personas que están pasando por una pérdida muy sensible de alguien muy cercano, o cualquier otra pérdida.

Ésta les permite ajustarse funcionalmente al profundo proceso psicológico que precede a un sepelio, una separación del matrimonio, o la terminación de una relación sentimental muy importante. Ésta fortalece el ego, y trae cohesión a la fragmentación psicológica.

La evidencia científica obtenida en favor del tratamiento autogénico es impresionante. Hay alrededor de 3,000 estudios que demuestran su efectividad en el tratamiento de un amplio rango de desórdenes, incluyendo la presión de la sangre elevada, el asma, el síndrome del intestino irritable y colitis, artritis, dolor y tensión muscular, migraña, desórdenes en la vejiga, disfunción sexual, arritmia cardiaca, angina, desórdenes benignos de la tiroides, epilepsia, alivio del dolor en el alumbramiento, tensión premenstrual, desórdenes digestivos y problemas del sueño.

Otras áreas en donde el proceso autogénico puede ayudar incluyen: depresión reactiva, los ataques de pánico, las reacciones de la pesadumbre sin resolver, los desórdenes de ansiedad y las fobias.

La Dra. Alice Greene, Vicepresidenta de la British Association for Autogenic Training and Therapy (BEFATT) dice que la gente que se beneficia más es la que está sobrestresada, ambiciosa, competitiva, impaciente, sin descanso, de altos logros o aquellos que sufren la enfermedad de "las prisas", el método les brinda un profundo cambio en sus personalidades. Su estado de adrenalina desaparece como resultado de las consecuencias fisiológicas y psicológicas que las prácticas autogénicas producen. Mediante el rebalance del sistema nervioso automático, el efecto neto producido es la reducción del ritmo cardiaco, bajando la presión sanguínea y el ritmo respiratorio, aminora la sudoración, aumenta los movimientos intestinales y mejora la digestión.

La clase de cambios que se logran con el método autogénico responde en gran parte a aquellos que se logran con los medicamentos diseñados para reducir la ansiedad. Sin embargo, ellos no producen a futuro ninguna de sus desventajas, o inhiben la calidad de vida. Con una supervisión adecuada también puede ayudar a la gente que está saliendo de los tranquilizantes, de las píldoras para dormir y de las drogas antidepresivas. también puede ser usado sin riesgos en forma paralela con aquellos medicamentos, mientras cualquiera de los dos empieza a producir sus efectos.

Teóricamente se puede aprender la autogénica mediante la lectura de un libro, pero esto no es lo recomendable. Trascender cargas emocionales son parte del proceso, por lo tanto, es esencial tener acceso a la ayuda de un entrenador calificado mientras esto sucede. Todos los miembros de la BAFATT, por ejemplo, han cursado tres años de entrenamiento en ésta especialidad. Para ser aceptada en ésta solamente se necesita ser doctor, enfermera, consejero, psicólogo o terapista ocupacional.

¿Es Apropiado para Cualquier Persona?

No cualquier paciente es recomendable para éste método. La Dra. Greene dice que se necesita un curso previo de evaluación para la selección. Los pacientes excluidos son aquellos que están bajo tranquilizantes muy fuertes, los que sufren esquizofrenia, psicosis o depresión endógena. Los diabéticos que no están bajo supervisión también se excluyen porque les puede traer una reducción en su necesidad de insulina. Otros que tienen que quedar fuera son aquellos de los que no se pueden obtener sus historias clínicas o que se niegan a proporcionarlas, la gente con un dolor severo en el pecho (pueden estar en peligro de infarto) y los niños menores de cinco años.

Aunque la gente con severa depresión endógena también se excluye, aquellos con depresión reactiva pueden encontrar ayuda. Los pacientes posteriores a un infarto también lo encuentran como una terapia de rehabilitación muy útil. La terapia autogénica de hecho protege mucho al corazón ya que reduce el estrés, baja los lípidos, incrementa la irrigación sanguínea coronaria, reduce la presión sanguínea y el ritmo cardiaco.

Una vez que se aprende la autogénica nunca se olvida. Puede ser practicada en cualquier parte y en cualquier circunstancia, mientras está atorado en el tráfico, haciendo tiempo en el aeropuerto, mientras cruza los aires en un avión a 500 millas por hora. Pero para los principiantes es mejor una atmósfera quieta, luces tenues y temperatura agradable.

Respiraciones

De los once sistemas del cuerpo, el único que podemos controlar voluntariamente es la respiración. Sin embargo, mucha gente no sabe cómo respirar apropiadamente. La clase de respiraciones profundas que usamos todos los días son cosa aparte de la respiración diafragmática esencial para la relajación profunda y el manejo del estrés.

En los casos en que el estrés es manejado pobremente o está del todo sin control, los músculos continuamente están tensos como preparación a la respuesta de luchar o huir, y con el tiempo se contraen. Conjuntamente con ellos el diafragma también gradualmente se tensa y se contrae. En algunos casos muy severos, cuando la gente esta sujeta a intimidación y miedo por períodos de tiempo muy prolongados, suceden cambios psicológicos fundamentales.

La forma del cuerpo puede cambiar, los músculos contraídos crean en el área del pecho una forma cóncava. Tiempo después una rígida posición de giba es mantenida. Aprender la respiración diafragmática profunda es el primer paso en cualquier proceso exitoso del manejo del estrés. Es posible aprenderlo en un libro, pero teniendo un profesional que le dirija el aprendizaje funciona mejor. Clair Bel-Maguire es una terapista física del bienestar que se especializa en cursos de entrenamiento del manejo del estrés. Las técnicas de respiración que ella enseña están diseñadas para bajar el ritmo cardiaco, bajar la presión sanguínea, y reducir la ansiedad generalizada. Le ayuda a disminuir la irritabilidad, alivia los dolores de cabeza y combate la fatiga.

La Técnica

La técnica de Clair Bel-Maguire, difiere de otras descritas en la mayoría de los libros, ya que ella recomienda que se trate de hacer con el menor esfuerzo posible. Es un proceso simple y así debe de ser visto, dice. Se puede practicar de ambas maneras: acostado o sentado en una silla. Si es acostado, ésta es la primera opción:

1   Ponga una mano en su estómago, la otra en su pecho.

2   Respire por la nariz contando hasta cinco, saque el aire a la cuenta de cinco.

3   En el momento de inspirar contar cinco, el estómago se llena, y se vacía con la expiración a la cuenta también de cinco.

Si la solución no es acostarse en el suelo, use una silla con respaldo:

1   Siéntese bien atrás del asiento, con los dos pies firmemente plantados en el suelo, los brazos en descanso y los ojos cerrados.

2   Empieza metiendo el aire por la nariz y sacándolo por la boca, despacio, la lengua debe estar descansando en la parte de abajo de la boca, los dientes y los labios separados, los hombros caídos.

Para obtener mejores resultados ésta rutina de respiración necesita practicarse por lo menos cinco minutos tres veces al día, la primera vez por la mañana y la última por la noche, la restante la puede colocar a su conveniencia.

Técnica Jacobson de Relajación

Esta técnica es simple de aprender y sus efectos son graduales. Actúa entrenando de nuevo los reflejos de relajación mediante las contracciones y relajaciones de todo el grupo de músculos del cuerpo, uno después del otro. Como resultado se produce una profunda relajación muscular. Esta relajación se extiende a otros sistemas del cuerpo, produciendo una profunda reducción en la tensión fisiológica y en la ansiedad psicológica.

No hay misterio en ésta técnica. No es ni nueva ni revolucionaria. Esta técnica es ampliamente usada en las maternidades como entrenamiento para el nacimiento. También es una de las técnicas grabadas en la mayoría de las cintas comerciales de audiorrelajación. Puede ser aprendida en libros.

La técnica trata de aislar y contraer un grupo de músculos tan fuerte como sea posible sin producir dolor, mantenerlos así por cinco o siete segundos y después relajarlos. La típica secuencia sería: pies, pantorrillas, muslos, caderas/área pélvica, estómago, espalda, manos, brazos, hombros, cuello, cara/cabeza, ojos, dientes/maxilar. Siempre que practique esto acompáñelo con respiraciones profundas.

Esta secuencia de tensión y relajación debe de estar seguida por un periodo de reposo recostado en completa calma.

Esta sesión requiere de dos a quince minutos de un tiempo sin interrupciones en un lugar quieto, en un período de una a dos semanas antes de que se noten los resultados.

Masajes

Aparte de relajar los músculos, liberar la tensión y hacerlo sentir bien, los masajes crean una enorme cantidad de efectos psicológicos positivos. Entre éstos se encuentran el que actúan como limpiadores mecánicos estimulando la circulación linfática, apresurando la eliminación de residuos tóxicos, removiendo los residuos de adrenalina que podrían depositar placas en las arterias, dilatando los vasos sanguíneos, mejorando la circulación, aliviando la congestión a través del cuerpo y ayudando a la digestión.

Pueden también ser de enorme utilidad en el tratamiento de las lesiones repetitivas por forzarse en el sobreuso, ésto es muy común en la gente que pasa largos ratos sentada frente a la computadora o quienes tienen malas posturas. Puede ayudar con los dolores de cabeza por tensión, insomnio, dolor de cuello y espalda. También es bueno para las personas que por tener lesiones o enfermedades no pueden hacer ejercicio diariamente. Los masajes ayudan a relajar los músculos contraídos y tonificar otros que podrían estar sobre-estresados o débiles.

Son poco reconocidos sus benéficos diagnósticos. En un mundo ideal todos deberíamos de incorporar el masaje en nuestras rutinas de cuidado personal, como ir al dentista, o realizarse un chequeo médico, sólo que más frecuentemente.

Todos los músculos se acortan y contraen cuando están estresados. El estrés se manifiesta en los múscu-los, y por consiguiente, despliega algunos patrones como resultado. Un terapista experimentado es capaz de de-terminar cuál es la causa. Los masajes pueden ayudar rápidamente en donde existen áreas de problemas. Las visitas regulares al masajista (una vez por mes) deberían de ser consideradas como ideales y quizás el estrés sería algo desconocido para usted en unas cuantas semanas.

Independientemente del origen, el área no muscular puede ser vista aisladamente. Todos los músculos tra-bajan en par. Al estirar y contraer los músculos en un área pueden tener efectos de choque de cualquier ma-nera. Por ejemplo, uno de los más comunes síntomas del estrés en el lugar de trabajo es la tensión en la cabeza, el cuello y los hombros.

Si no se trata, algo que es aparentemente inofensivo como las quijadas trabadas, pueden causar un dolor asociado con esto y convertirse en severos dolores de cabeza, dolores de oídos o de cuello. Esto trae, por consiguiente, muchas pruebas e investigaciones, algu-nas de ellas pueden ser muy agresivas.

Ahora ya sabe por qué el estar en una reunión equivocada o encontrarse con una persona realmente difícil, puede literalmente producirle un dolor de cuello.

Aparte del efecto de choque creado por un músculo estresado, pasa como tensión a otras partes del cuerpo y los músculos contraídos retiene toxinas también. Obviamente, el retener toxinas en el cuerpo es algo indeseable de cualquier manera, pero más que esto las toxinas impiden el buen funcionamiento del músculo, creando esto un gran número de problemas.

Meditación

Algunas veces no hacer nada,
es hacer algo muy importante.

El Dr. Michael DelMonte, psicólogo experto y psicoterapista clínico y una autoridad en el ámbito mundial en la meditación, la describe como un estado especial facilitado por la relajación física, como un paraíso temporal, en lugar de como un escape de la vida

Aparentemente luce como si no se estuviera haciendo nada mientras se medita, pero no es así. La tranquilidad física requerida para el proceso de meditación puede facilitar la tranquilidad mental. Uno de los beneficios más consistentes de la meditación es reducir la ansiedad y hay docenas de buenos estudios de investigación que muestran esto. De hecho, prácticamente también puede ayudar a la propia realización, por el sentimiento de plenitud que se alcanza.

Para alguien con una vida muy ocupada y estresada, la meditación es un antídoto al constante zumbido y

bombardeo de estimulación. Sin embargo, no es recomendable para las personas que están ya muy retraídas,
o que tienen seria inestabilidad, depresiones o psicosis
o tiene problemas adictivos o comportamientos impul-
sivos (bulimia).

De acuerdo con el Dr. DelMonte, la meditación
permite salirse de la línea rápida por un momento.
Se recomienda practicarse diariamente en sesiones de
veinte minutos, sentado derecho en una silla, en quie-
tud, rodeado de confort, con los ojos cerrados, mientras
silenciosamente se repite una mantra, o cualquier sonido sedante que puede ser usado para echar fuera
nuestro interminable parloteo.

El principal beneficio de la meditación es que enseña a la persona habilidades como la concentración,
abstracción, la observación propia, la sinceridad del
pensamiento. Les ayuda a ser menos distraídos, más
concentrados, receptivos, no hacer juicios. También
juega un papel ayudando a la gente que tiene problemas
moderados de hipertensión e insomnio. Puede asistir en
el retiro del hábito de las drogas suaves como el fumar,
beber o usar otras drogas recreacionales.

El Dr. DelMonte dice que hay dos técnicas importantes: la concentración y la atención.

La meditación concentrativa es la disciplina de concentrar la atención enfocándola. Y por la otra parte la
meditación de la atención es concentrarse en un amplio
panorama en donde su mente está abierta a todo con
una actitud de escoger su estado de conciencia. Sin
embargo, no se puede practicar la meditación de la
atención hasta que maneje bien la concentración.

El primer paso es aprender a concentrarse (capacidad de atención). Prácticamente todas las escuelas de meditación, cualquiera que sea su origen, enseña algún tipo de concentración prolongada. Cualquiera de los cinco sentidos puede ser usado para enfocar algún aspecto del medio ambiente o en usted mismo por ejemplo, en su respiración o en su caminar. También puede meditar en una imagen mental. En una de las más comunes formas de meditación se enfoca en obtener la concentración mediante la repetición monótona de una subvocal.

Un mantra es como una isla en el océano de pensamientos. Algunas veces el mantra tiene algún sentido, pero lo más común es que no lo tenga, es neutral, pero placentero. Mediante la concentración en el sonido del mantra el practicante crea una disciplina mental, tranquila y enfocada. Si se repite el sonido una y otra vez, la mente se desconecta porque está programada para "cosas diferentes".

La concentración meditativa naturalmente trae monotonía, después de la cual ya no podrá oír el mantra. Esto se llama "sin pensamientos", es un tipo especial de disociación adaptativa o trance.

La gente hace lo posible por "no pensar", porque cuando la mente se desconecta y no pasa nada, esto crea un espacio psicológico. Este espacio vacío es como un silencio fértil en donde algo nuevo puede surgir. Cuando usted crea éste espacio está abierto para recibir algo más allá de la conciencia, o subconscientemente la experiencia de "más allá del pensamiento", "siendo uno", puede eventualmente convertirse en serenidad, tranquilidad o "nirvana". Es difícil obtener esta serenidad, pero en última instancia esto es de lo que se trata la meditación.

El camino de la serenidad eventual, puede ser interrumpida, mientras emociones previamente bloqueadas se liberan. Estas emociones fueron subconscientemente reprimidas. Mucha gente resulta buena para la concentración. Pueden inclusive practicar minimeditaciones, cerrando sus ojos en la oficina y aquietando sus mentes momentáneamente, si están muy agitados pueden emerger después de diez a quince minutos de practicar, buscando y sintiendo la tranquilidad.

Yoga

Hace algunos años un gran número de ingleses poderosos, abogados y ejecutivos de compañías de computadoras, se declararon en huelga y eludieron sus responsabilidades pidiendo practicar yoga en su descanso de cuarenta y cinco minutos para comer; se consideró como una petición absurda.

Esta es la aceptación y estima que se le tiene al yoga por millones de practicantes a través del mundo, sin embargo, esas clases de yoga corporativas para ejecutivos y su traslado a los trabajadores, no duró en importancia. Trasladarse a los trabajadores es, de hecho, un caso interesante. Muchos de los problemas que se experimentan son los desórdenes en el ritmo del día y de la noche, y uno de los productos derivados del yoga son que la práctica de veinte minutos puede equivaler a cuatro horas de sueño, mientras al mismo tiempo ayuda al cuerpo a reajustarse a otros ritmos como el del comer.

El yoga es reconocido como uno de los más perfectos antídotos contra los terribles excesos de la vida moderna. Para muchos profesionales del cuidado de la salud la gente que está sufriendo de sobrecarga de información y aquellos que están batallando con un estilo de vida físicamente inactivo, combinado con la mala postura y periodos de estrés, están padeciendo los efectos de este tiempo.

Pero tiene que estar consciente de su cuidado propio. Una de las primeras cosas que se aprenden al unirse a una clase de yoga es dónde es retenido el estrés en el cuerpo. Ese dónde es diferente para cada persona, y saber su localización le permite el tomar acciones específicas para contrarrestar sus efectos.

Yoga y Estrés

El yoga es una forma ideal de obtener la relajación profunda y el acondicionamiento, sin olvidarse de las respiraciones. Usa movimientos lentos y suaves combinados con estiramientos para trabajar todo el cuerpo, liberando energía y tensión. Se enfoca particularmente en la espina dorsal que alberga al sistema nervioso central. Esta es la razón por la que es particularmente bueno para ayudar dentro de un rango amplio de problemas nerviosos como el estrés, la ansiedad y la tensión.

El segundo componente importante en el yoga es la respiración. En tiempos de estrés el diafragma se pone rígido y el respirar se vuelve lento. Alrededor de la mitad del tiempo de una clase de yoga se enfoca en las técnicas de respiración para relajar el diafragma y calmar y apaciguar la mente. Una vez aprendidas estas técnicas, se pueden aplicar después, si se está preparando para una confrontación, o bien, si se encuentra en medio de un problema estresante inesperado.

Para la gente ocupada una de las mayores ventajas del yoga es que no usa mucho tiempo como el que consumen otros regímenes de ejercicios. Tomando una clase de media hora a la semana es suficiente para mantenerlo, pero tiene que tener más práctica.

Las articulaciones y los músculos que no se han usado muy a menudo dejan de trabajar. Se entorpecen con la edad. Entre otras cosas, el dolor de espalda y de hombros puede sobrevenir. El yoga le enseña una postura correcta, y a conocer los problemas que pueden surgir en sus músculos si no son manejados apropiadamente. La otra ventaja que tiene, es que, ya que el estrés tiende a volver negativa y malhumorada a la gente, el yoga lo protege íntegramente, ya que logra que emerja su yo positivo. El yoga remueve los estratos de tensión permitiendo que la parte importante de su yo emerja.

Linda Southgate, que ha enseñado yoga durante dieciséis años, dice que nadie puede poner como pretexto su salud, edad, o falta de condición para no practicar el yoga.

Existen un total de 80,000 movimientos en el yoga, pero yo solamente uso de veinte a treinta en cada clase normal. Hay algunas posturas que están excluidas para las personas que tiene alta la presión sanguínea y las que padecen de úlceras, también he modificado algunas para mujeres embarazadas que están en determinadas etapas del embarazo o también para personas que sufren de dolor de espalda, esto no es porque estén contraindicadas. La gente toma responsabilidad por sus propios cuerpos y así se fortalecen sabiendo qué es lo mejor para ellas y sus necesidades particulares.

Mucha gente toma el curso que dura diez semanas con clases de una hora y media. No hay obligación de continuar cuando se acaba el curso, pero mucha gente lo hace por elección propia, debido a los beneficios diarios que de éste se derivan. Después de un tiempo se encuentran con mejor postura y menos estrés. De la misma manera se aprende a asociar el sonido del teléfono y las luces rojas del tráfico con algunas técnicas de respiración.

Después del período de clases la gente puede optar por practicar algunas *asanas* (movimientos) en la oficina, en la casa o mientras maneja. El Yoga puede ser extenuante, pero cada cual lo puede practicar a su propio paso. Uno de sus logros a futuro poco conocidos son que puede ayudar a perder peso y obtener cambios en el estado de su cuerpo mientras se mantenga un buen nivel de ejercicios. El mejor reporte es "lo estoy haciendo mucho mejor ahora", pero el estrés es una respuesta interna de cualquier manera, ¿no es así?

Capítulo 13
Centros de Especialidades

Hasta ahora el masaje que puede luchar contra el estrés crónico parece haber obtenido su patente. Mientras el estrés es un problema serio en donde también está involucrando el tema del sueño, con muchas manifestaciones e interpretaciones. Hay pocos centros con expertos en el manejo del estrés y están situados lejos unos de otros. Dos de éstos son: la Clínica del Estrés del Condado de Dublín y el Centro para el Manejo del Estrés en Londres. Éstos trabajan mediante equipos multidisciplinarios de consejeros altamente calificados como psicólogos y psicoterapistas. Un gran número de técnicas de enseñanza que se combinan en ambas clínicas son:

◆ asertivo, habilidades para la comunicación

◆ construcción de la autoestima

◆ manejo del tiempo

◆ formas de reconocer las fuentes del estrés en su vida y entender sus propias reacciones al mismo

◆ maneras de manejar la presión y el estrés, incluyendo técnicas de relajación, habilidad para resolver problemas y tener una buena perspectiva de las cosas.

La Clínica del Estrés del Condado de Dublín

Esta clínica difiere mucho de otros centros para el manejo del estrés. En ésta se ofrecen los servicios de psiquiatras clínicos y un equipo de especialistas, tales como: psicólogos clínicos, terapistas familiares, terapistas de la conducta cognoscitiva, terapistas del bienestar físico y psicólogos clínicos para el deporte.

Cada cliente es evaluado, y después se planea un programa a la medida de sus necesidades. Los tipos de problemas tratados incluyen la ansiedad, los ataques de pánico, depresión, estrés ocupacional, las relaciones, desórdenes postraumáticos del estrés, reacciones agudas de estrés y fobias. La mayoría de los clientes son tratados individualmente, pero los programas en grupos también funcionan.

La clínica de Dublín desarrolla cursos basados en el manejo del estrés en grupos que duran ocho semanas, con tres horas de clase, divididas por igual entre la instrucción de técnicas psicológicas y de relajación progresiva y una sesión de ejercicios. Para ser admitido se necesita una carta de su Médico General. Parte de este requisito se debe a que quieren asegurarse de que otras causas físicas o síntomas del estrés que las imitan hayan sido investigados.

El Centro para el Manejo del Estrés

El Centro para el Manejo del Estrés, en Londres, funciona de diferente manera, no trabaja con grupos o imparte cursos, sin embargo, provee a las organizaciones con auditorías de estrés y soluciones diseñadas especialmente para ellas en sus instalaciones. Están principalmente enfocadas en la consultoría del estrés individual y en el entrenamiento en el manejo del estrés para aquellos que lo padecen, y que sufren también de ansiedad y algunas otras enfermedades como la hipertensión.

Este centro le ofrece a sus clientes un rango de servicios, incluyendo terapia cognoscitiva, terapia del comportamiento racional emotivo, terapias enfocadas a los problemas, terapia multimodelo (una forma de comportamiento cognoscitivo con aproximación holística). Para los que no pueden viajar hay cursos a distancia por correspondencia en donde están a su disposición conocimientos de cómo manejar el estrés.

Los profesionales de la salud del Centro de Londres, incluyendo los doctores, psicoterapistas, psiquiatras y psicólogos viajan a través de todo el mundo impartiendo cursos de entrenamiento y consultorías sobre el manejo del estrés. Además, mandan muchas órdenes por correo, así como venden libros y videos sobre asuntos relacionados con la salud.

Capítulo 14
Escoger un Terapeuta

*Cuando el escribir no es suficiente, necesitas
hablar con alguien, y cuando el hablar no es
suficiente, necesitas un psicoterapeuta.*

Normalmente, se confunde la psicoterapia con la
psiquiatría. Sin embargo, no se necesita estar enfermo mentalmente para buscar ayuda. La psicoterapia
es a corto plazo, directa, orientada a superar crisis.
Intenta explorar las diferencias subyacentes, que dan
lugar al comportamiento. Los psicoterapeutas no admi-
ten las drogas psicoactivas. Esencialmente, ayudan a las
personas a entender sus sentimientos y sus relaciones.

Existen muchas ramas diferentes de la psicoterapia.
Entre las principales que existen son las siguientes, de
acuerdo con el consejo británico de psicoterapia:

◆ cognoscitivo y terapia del comportamiento

◆ psicoterapia constructiva

◆ terapia familiar

◆ humanística y psicoterapia integradora

◆ terapia psicoanalítica

Escoger al terapista adecuado puede ser un nuevo
motivo de estrés, pero el entender algunos puntos le

puede ayudar en este proceso. En cualquiera de las ramas de la psicoterapia que usted seleccione, es esencial escoger a alguien que tenga experiencia, que esté bien entrenado, y lo más importante, que sea un ser humano decente.

Otras características importantes incluyen la habilidad para escuchar inteligentemente y abstenerse de hacer las declaraciones simplistas o dogmáticas. El terapista debe de ser alguien con el cual usted se debe sentir seguro, que hace comentarios constructivos, sin hacerle sentir que lo esta regañando, que lo entiende y que se preocupa acerca de usted, alguien que le da sentido a los problemas en una forma que le permite ver con una nueva perspectiva, en vez de sentirse agobiado y sin remedio.

Un buen terapeuta ofrecerá una interpretación de lo que está causando sus problemas, en cierto modo para que usted pueda entender. También deben de darle un estimado de cuánto tiempo durará la terapia y el tipo de proceso que involucrará. Le ofrecerán esperanzas.

Algunos pueden pedirle que apunte algunas cosas entre las sesiones. Otros pueden pedirle que hablen, mientras que ellos permanecen en silencio. Asimismo, otros pueden crear un ambiente de interactividad. Hay muchas variaciones.

Como un primer paso, usted debe establecer cuál es el estilo particular de cada terapista, y entonces escoger con cuál se siente más cómodo. Una recomendada por su médico, clérigo, autoridad de salud, o un amigo íntimo, es probablemente la forma más fácil para encontrar a un psicoterapeuta.

La siguiente lista de control, fue desarrollada por los doctores Stephen Palmer y Kasia Szymanska en el Centro para el Control de Estrés, en Londres.

1   Compruebe que su terapista esté calificado y tenga experiencia en el campo de la psicoterapia.

2   Pregunte por el tipo de técnicas que usa y cómo se relacionan con su problema.

3   Pregunte si el terapista esta bajo supervisión. (La mayoría de los grupos profesionales considera obligatoria la vigilancia)*

4   Pregunte si el terapista, o grupo de terapistas pertenecen a algún grupo profesional o asociación, el cual es regulado por los códigos de ética. Si es posible obtenga una copia del código.

5   Discutan sus metas y expectativas.

6   Pregunte por los honorarios, si es que los hay. Si tu ingreso es muy bajo, pregunta si el terapista otorga algún descuento. Discutan la frecuencia y la duración estimada de la terapia.

7   Programa juntas periódicas con el terapista para revisar el progreso.

8   No acepte involucrarse en terapias a largo plazo, a menos que esté satisfecho con el terapeuta, y sienta que es necesario y que le va a aportar un beneficio a su vida.

* La vigilancia a un terapeuta es un arreglo en donde él discute regularmente, de manera confidencial, sus casos con otro u otros profesionales.

Si usted no tiene una oportunidad para discutir los puntos anteriores durante su primera sesión, trate de que sea posible en la próxima oportunidad.

Puntos Generales

En algunos casos, puede ser benéfico para la terapia que el terapeuta hable de su propia experiencia. Sin embargo, si las sesiones se concentran en discutir los problemas del terapista, haga notar este punto para que no se repita. Si en algún momento se siente poco valorado, rebajado, manipulado, durante la sesión discútalo de la misma forma con el terapista. Es más fácil resolver los problemas cuando se presentan. No debe aceptar regalos grandes de su consejero. Esto no aplica al material terapéutico.

No debe aceptar invitaciones de su terapeuta, por ejemplo, cenar en un restaurante, o salir a beber un trago. Sin embargo, esto no aplica a las asignaciones terapéuticas pertinentes, como el ser acompañado por un terapeuta para superar una fobia.

Si su terapista propone un cambio en el sitio de la sesión sin una buena razón, por ejemplo, de la oficina a la casa del terapista.

Los estudios han demostrado que no es bueno para los pacientes el tener relaciones sexuales con su terapista. Los terapeutas profesionales, y los grupos y asociaciones consideran inmoral para el terapeuta el involucrarse sexualmente con un paciente.

Si tiene cualquier duda sobre la terapia que está recibiendo, discútala con su consejero. Si todavía tiene alguna duda, busque el consejo de su médico, o quizás de un amigo, o en la asociación profesional a la que pertenece su terapista. Si todavía no esta seguro de lo que está haciendo el terapista, es mejor que no prosiga con el tratamiento. Recuerde que usted tiene el derecho para terminar con la terapia en el momento que lo decida.

Terapia Cognoscitiva

No es posible describir todas las ramas de las psicoterapias en un libro pequeño como este. Debido al tamaño y a la accesibilidad del libro, el resto de este capítulo se enfoca sólo en la terapia cognoscitiva.

Esta forma de terapia es la más ampliamente difundida. Por ejemplo, la mayor parte de las autoridades de salud y los psicólogos están especializados en esta disciplina. Es una de las áreas de la psicoterapia que más investigación tiene. Es a corto plazo. Una terapia típica comprende 12 secciones en un periodo de veinte semanas, mientras que el psicoanálisis puede durar dos años o más.

Los críticos de terapia cognoscitiva dicen que el tiempo es muy reducido, y está muy orientada a resolver problemas. Sin embargo, esta debilidad, también es una de sus más grandes fortalezas. Por razones económicas, las terapias han tendido a recortar sus tiempos, en todos los tipos. La terapia cognoscitiva se desarrolló como una alternativa del psicoanálisis, el cual dura mucho tiempo. Otro punto que se critica, es que no esta respaldada por una gran tradición de investigación.

No es particularmente eficiente para tratar a personas con pocos conocimientos que experimentan depresiones severas. Sin embargo, para personas con problemas no resueltos, problemas inconscientes poco fáciles de detectar, pueden ser el mejor camino.

¿Qué es la Terapia Cognoscitiva y Quién puede Beneficiarse de Ella?

La terapia cognoscitiva permite tener la noción simple de que la mayor parte de las cosas que nos perturban no es sólo porque la vida es horrible o estresante. Más bien, es la manera en que nosotros interpretamos esas cosas, y cómo reaccionamos a ellas.

La terapia cognoscitiva intenta llegar al fundamento de por qué están pasando las cosas, no sólo lo que se muestra en la superficie.

La terapia cognoscitiva puede ser adecuada cuando algo está pasando emocionalmente, cosas que le cuesta identificar plenamente, con otras que se presentan recurrentemente y no exclusivamente en un ambiente particular, como el trabajo. A veces las razones pueden ser evidentes, pero es difícil hablar sobre ellas. O no son obvias para usted, y éstas pueden estar causando trastornos severos debido a que no entiende el por qué están pasando.

Patrones de comportamiento como el comer o beber demasiado, el retirarse de las personas, el aplazar las cosas, sentirse constantemente afligido, o estresarse por temas específicos como la sexualidad, son indicadores de que necesita ayuda.

El Dr. Tony Bates es psicólogo clínico, disertante universitario y especialista en la terapia cognoscitiva. Él dice que intenta ayudar a la gente a darse cuenta del tipo de reglas y actitudes acerca de la vida, en las que normalmente las personas no se dan cuenta.

La terapia cognoscitiva se dedica a ayudar a que la gente explore el sentido personal que los eventos guardan para ellos, y por qué reaccionan a estímulos particulares. Equipados con el autoconocimiento, y dirigidos por estrategias de autoayuda específicas, la gente puede practicar nuevas formas de responder a los estímulos que sean más eficientes. Ayuda a que la gente encuentre otra manera de ver sus problemas, y descubra las soluciones de formas creativas a estos problemas. Asimismo, ayuda a que las personas se adapten mejor a la sociedad, se acepten mejor a sí mismas y se sientan mejor.

Entendiendo Nuestro Estrés

Esta terapia no es para decirle a la gente que piensen positivo, es acerca de cómo hemos creado mucho de nuestro estrés, y qué podemos hacer para reducirlo y vivir de una forma más creativa. La terapia cognoscitiva es acerca de empezar a poner nuestras pérdidas y problemas en palabras, para que así las experiencias puedan digerirse y ser asimiladas, agrega el Dr. Bates.

Al principio, puede ser muy difícil hablar o escribir sobre los problemas del pasado, pero varios estudios demuestran que esto puede acarrear muchos benefi-cios. Por ejemplo, las personas que se comprometen a llevar un diario y apuntan sus problemas demuestran avances psicológicos, fisiológicos e inmunológicos más rápidos. Si se hace regularmente y de manera minuciosa (diez minutos por día durante tres semanas), este procedimiento puede ayudar a poner sentido a lo que está pasando.

En otras palabras, el procesamiento emocional de eventos, sentimientos, pensamientos y comportamientos, que representan los momentos malos de la vida *funciona*. Al utilizar el mismo procedimiento y registrar eventos felices, sentimientos, y experiencias, aparentemente no muestra el tener un beneficio en caso de que el estrés se encuentre fuera de control.

Índice

Títulos
de esta Colección

Las Adicciones. *Michael Hardiman*

Los Dolores de Cabeza. *Pat Thomas*

El Embarazo. *Pat Thomas*

El Sueño. *Brenda O'Hanlon*

La Depresión. *Tony Bates*

La Menopausia. *Ruth Appleby*

La Salud del Hombre. *Joe Armstrong*

El Estrés. *Brenda O'Hanlon*